Guide des plantes
POUR LA MAISON

Conception de la maquette intérieure: Luc Sauvé
Infographie: Luc Lapierre
Illustrations: Marguerite Gouin
Photographies: Benoit Prieur
Ajustement des couleurs: Mélanie Sabourin

Coordination de l'édition: Rachel Fontaine et Linda Nantel
Révision des textes: Andrée Quiviger
Correction: Catherine Lapointe

Page couverture:
- Conception graphique: Nancy Desrosiers
- Photographie: Pierre Tison

DISTRIBUTEURS EXCLUSIFS:

- Pour le Canada et les États-Unis:
LES MESSAGERIES ADP*
955, rue Amherst, Montréal H2L 3K4
Tél.: (514) 523-1182
Télécopieur: (514) 939-0406
* Filiale de Sogides ltée

- Pour la Belgique et le Luxembourg:
PRESSES DE BELGIQUE S.A.
Boulevard de l'Europe 117
B-1301 Wavre
Tél.: (10) 41-59-66
      (10) 41-78-50
Télécopieur: (10) 41-20-24

- Pour la Suisse:
TRANSAT S.A.
Route des Jeunes, 4 Ter
C.P. 125
1211 Genève 26
Tél.: (41-22) 342-77-40
Télécopieur: (41-22) 343-46-46

- Pour la France et les autres pays:
INTER FORUM
Immeuble ORSUD, 3-5, avenue Galliéni, 94251 Gentilly Cédex
Tél.: (1) 47.40.66.07
Télécopieur: (1) 47.40.63.66
Commandes: Tél.: (16) 38.32.71.00
               Télécopieur: (16) 38.32.71.28
               Télex: 780372

BENOIT PRIEUR

Guide des plantes

POUR LA MAISON

LES ÉDITIONS DE
L'HOMME

Données de catalogage avant publication (Canada)

Prieur, Benoit

Guide des plantes pour la maison

Comprend un index.

1. Plantes d'intérieur.   I. Titre.

SB419.P75   1994   635.9'65   C94-941274-0

© 1994, Les Éditions de l'Homme,
une division du groupe Sogides

Dépôt légal: 4ᵉ trimestre 1994
Bibliothèque nationale du Québec

ISBN 2-7619-1206-3

Je dédie ce livre aux plantes elles-mêmes pour leur étonnante faculté d'adaptation et leur merveilleuse bonne volonté.

Un grand merci à Liette Leroux qui m'a si gentiment prêté sa maison et ses plantes pour réaliser la photographie de la page couverture.

Vivre pour jardiner

Quand l'hiver frappe à la porte, que reste-t-il aux humains pour garder le contact avec la nature dont ils sont issus? Oh! bien sûr, regarder tomber la pluie ou la neige a son charme. Patiner sur une rivière, dévaler une pente enneigée, arpenter les pistes de randonnée, voilà des activités bienfaisantes, mais tellement fugaces.

Par contre, s'entourer de plantes de la cave au grenier, en passant par la cuisine, les chambres, le salon, permet de vivre en permanence dans un monde de verdure et de fleurs.

«Permanence», le mot est lâché et on peut facilement l'associer à la notion de floraison sans avoir recours aux éphémères potées fleuries. Ces potées sont attrayantes, colorées, vigoureuses et font d'excellents cadeaux au même titre qu'une belle boîte de chocolats fins. Seulement, quand la boîte est vide, il ne reste qu'à la jeter…

Faut-il jeter les potées fleuries défleuries? À moins de posséder un don particulier pour l'acrobatie ou pour la communication extra-sensorielle, ou de posséder une serre et, surtout, une patience à toute épreuve, la réponse est «oui». Connaissez-vous des personnes qui ont réussi à redonner sa beauté originelle à une azalée, à un cyclamen ou à un gloxinia? Pour ma part, je n'en connais pas assez pour qu'il soit justifié d'en parler ici.

Néanmoins, il est facile de conserver une plante verte en permanence. Il est également facile de faire fleurir et refleurir celles qui offrent au bout de leurs tiges ou au creux de leur cœur les plus belles fleurs qui soient. N'est-il pas tout simplement merveilleux de voir ne serait-ce qu'une fleur s'épanouir un beau jour entre décembre et mars? de voir de jeunes feuilles afficher leur candeur après plusieurs semaines de repos?

Bien sûr, il faut s'en occuper au même titre que les plantes du jardin. D'ailleurs, ce n'est pas tellement plus compliqué, seulement différent: nous infligeons aux plantes d'intérieur des conditions de vie (lumière, température, humidité) un peu éloignées de celles qui prévalent sous les tropiques, leur habitat d'origine.

Les plantes d'intérieur font des merveilles pour s'adapter à nos maisons, ce que nous reconnaissons rarement parce que nous les voulons aussi démonstratives que leurs semblables de climat tempéré. D'ailleurs, sauf pendant l'hiver, les plantes d'origine tropicale aimeraient sans doute mieux vivre au grand air qu'être enfermées dans une pièce où les conditions lumineuses sont souvent déficientes.

Tout cela pour dire que, malgré leur croissance incertaine, malgré quelques problèmes de comportement et les mauvais traitements que nous leur infligeons par ignorance, les plantes d'intérieur, et tropicales de surcroît, livrent une performance olympique. Quelle faculté d'adaptation! Quelle force de vie! Quel désir de plaire!

S'occuper des plantes d'intérieur, c'est une façon de jardiner toute l'année, surtout pour ceux qui manquent de verdure autour d'eux ou qui n'ont pas de jardin où s'ébattre et batifoler au gré du vent. Encore faut-il aimer jardiner, c'est-à-dire ne pas tenir l'entretien des plantes pour une corvée.

À vrai dire, j'ai voulu faire de ce livre une promenade dans le monde merveilleux de la végétation permanente, pour que le jardinage d'intérieur soit un plaisir sans cesse renouvelé, même quand une plante est infestée d'insectes.

Quand le plaisir est atteint, quand la communication avec les plantes est établie, un échange solide et durable s'installe dans la maison. Plantes et humains développent une sorte d'interdépendance: les plantes cherchent la lumière et l'eau, et procurent en retour la paix de l'âme, la pureté de l'air, l'équilibre des énergies; bref, c'est une question de vie d'un côté comme de l'autre. Jardiner devient alors une raison de vivre. N'est-ce pas ce que la nature attend de nous?

Première partie

Comprendre et améliorer l'environnement des plantes

POUR VOUS FACILITER LA TÂCHE

Les noms latins ont été francisés pour une meilleure compréhension, lorsqu'il n'y a pas de noms français existants.

L'HABITAT NATUREL

En dépit des meilleurs soins, la maison ne sera jamais qu'un milieu artificiel pour les plantes originaires de régions tropicales ou subtropicales, plus tempérées. De tout temps, des amateurs parcourent des régions comme le Brésil, le Mexique, le Pérou, les pays d'Afrique ou certaines régions de l'Asie et de l'Océanie où ils découvrent des plantes remarquables. La forme, la couleur et l'ampleur du feuillage, la floraison ou les fruits attirent leur attention et ils importent des spécimens qu'ils essaient de multiplier et de commercialiser.

L'habitat naturel des plantes d'intérieur est très différent de ce que leur offrent les horticulteurs et les amateurs des pays non tropicaux. Leur comportement est également différent. Par contre, elles montrent une faculté d'adaptation phénoménale et peuvent survivre aux conditions extrêmes et aux mauvais traitements que, par ignorance ou par négligence, nous leur infligeons.

IDENTIFIER LES SOURCES DE PROBLÈMES

Pour réussir

Les éléments naturels (lumière, chaleur, eau) qui entourent la plante sont interdépendants: *si l'un varie, les autres devraient varier dans les mêmes proportions.*

Cependant, ce n'est pas toujours le cas; même la nature a ses caprices et contrevient quelquefois à cette règle. Là, pourtant, se trouve la clé du succès.

Tant les amateurs que les professionnels mettent tout en œuvre pour réussir leurs plantations. Bien qu'ils essaient de recréer les conditions naturelles de vie des plantes, l'environnement qu'ils aménagent n'est pas toujours idéal.

- La lumière est le plus souvent inadéquate car il est difficile d'en reconstituer l'intensité idéale dans nos maisons.
- En été, la température ne fait pas problème; en hiver, les maisons sont généralement surchauffées.

SCHÉMA D'UNE PLANTE

ANATOMIE

PHYSIOLOGIE

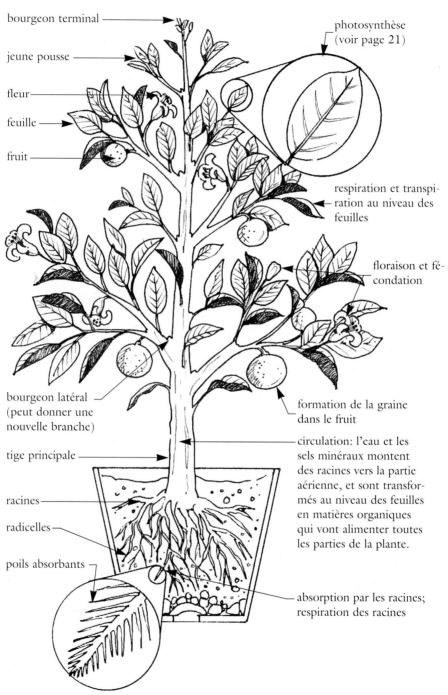

bourgeon terminal

jeune pousse

fleur

feuille

fruit

photosynthèse
(voir page 21)

respiration et transpi-
ration au niveau des
feuilles

floraison et fé-
condation

bourgeon latéral
(peut donner une
nouvelle branche)

formation de la graine
dans le fruit

tige principale

circulation: l'eau et les
sels minéraux montent
des racines vers la partie
aérienne, et sont transfor-
més au niveau des feuilles
en matières organiques
qui vont alimenter toutes
les parties de la plante.

racines

radicelles

poils absorbants

absorption par les racines;
respiration des racines

- Quant à la terre et aux engrais, nous respectons habituellement les exigences de la nature, mais gare aux excès!

- Pour ce qui est de l'arrosage, nous avons tendance à surestimer les besoins des plantes, ce qui provoque un déséquilibre quand la lumière est insuffisante. Autrement dit, rien ne sert d'imiter la pluie sur les plantes et, par ricochet, sur nos tapis!

OBSERVER LES SIGNES VITAUX

Ce sont donc la lumière et l'arrosage qui posent le plus de difficultés. Quand on se plaint de ne pas avoir le pouce vert, ce sont généralement ces facteurs qui sont en cause.

Chaque espèce, chaque variété, chaque plante a sa manière de résister aux variations de l'environnement, et les symptômes universels qu'elle présente sont plus ou moins graves et plus ou moins apparents. Dans tous les cas, une plante est toujours récupérable si son centre vital, c'est-à-dire ses racines, est encore intact.

Des observations très simples et des règles élémentaires permettent de surmonter les principaux obstacles et, généralement, d'assurer aux plantes le meilleur de leur forme pendant longtemps. *Il ne faut pas se leurrer: les soins donnés aux plantes d'intérieur ne visent qu'à maintenir un peu de vigueur dans leurs signes vitaux.* Quand de surcroît, une plante pousse, cela devrait être considéré comme une prime.

C'est en se rapprochant le plus possible des conditions de l'habitat naturel des plantes qu'on réussit le mieux à les garder.

Pour réussir

Si les plantes restent belles et poussent régulièrement, elles reçoivent sans doute d'excellents soins. Il faut y penser à deux fois avant de changer leurs habitudes.

15

CHOIX DES PLANTES ET DE LEUR ENVIRONNEMENT

Quand on décide d'acheter une plante, on devrait avoir les mêmes exigences que lorsqu'on achète un vêtement: trouver ce qu'il y a de plus beau et de la meilleure qualité. On devrait également tenir compte du genre de commerce où on l'achète (fleuriste, serre, centre de jardinage, jardinerie, grand magasin), du rapport qualité/prix et de la durée de vie du produit. Voici quelques critères.

RAPPORT QUALITÉ/PRIX

La qualité

D'abord, une plante de bonne qualité présente une forme et une couleur qui correspondent aux caractéristiques de l'espèce. Les tiges et les feuilles sont fermes, pas forcément luisantes mais pas ternes non plus. La forme est régulière. Demandez à voir les racines: il doit y en avoir beaucoup, mais le pot n'est pas nécessairement rempli. Elles doivent être fermes et juteuses. N'oubliez pas: les racines sont le «moteur» de la plante.

Si les feuilles sont enduites d'un dépôt, la plante a été traitée. Ne vous fiez pas aux feuilles qui brillent, c'est artificiel! Quelques feuilles légèrement cassées n'enlèvent rien à la plante: un être vivant n'a pas toujours la peau parfaite.

Enfin, pour vérifier la présence de maladies ou d'insectes, examinez le dessous des feuilles. C'est une précaution à prendre bien qu'elle ne donne pas de garantie: les œufs d'insectes ou les spores de champignons ne sautent pas aux yeux et peuvent se cacher quelque part.

Le prix

La grosseur d'une plante ou le nombre de feuilles n'ont pas toujours d'influence sur le prix, bien que ce soit là des critères de base pour les variétés communes. L'âge de la plante, sa rareté, son lieu d'origine, le type de commerce qui l'offre sont aussi des facteurs à considérer. Si votre fleuriste recouvre le pot d'un cache-pot, y ajoute un ruban, une carte, un emballage, du service, des renseignements, une garantie et vous la livre, le prix sera évidemment plus élevé que si vous achetez la plante dans un grand magasin.

OÙ ACHETER?

Où que vous achetiez vos plantes, méfiez-vous de ceux qui parlent beaucoup sans tenir compte des conditions de votre logement. Plusieurs croyances à propos de l'entretien des plantes ont été répandues par des soi-disant spécialistes.

Adressez-vous à une personne compétente et faites vos achats chez elle si vous avez des exigences précises. Mais vous pouvez toujours acheter à rabais en sachant que c'est à vos risques.

Pour économiser

En règle générale, choisissez vos plantes chez un commerçant qui en a beaucoup en magasin, et qui réussit à les garder saines et propres en permanence. Ce sont là des signes favorables.

EMPLACEMENT ET ADAPTATION

Une plante de bonne qualité s'adapte facilement à son nouvel environnement.

Pour réussir

Il vaut mieux choisir une plante en fonction des conditions de lumière existantes plutôt que de vouloir l'adapter à ces conditions. Faites mesurer l'intensité lumineuse par un spécialiste. Toutes les chances seront alors de votre côté et pour le reste, l'entretien sera aisé.

Bien sûr, votre plante va réagir par un arrêt momentané de la croissance et une chute de feuilles. Certaines espèces, comme le *Ficus benjamina*, perdent jusqu'à 70 % de leurs feuilles avant de se stabiliser.

Au sujet de l'adaptation des plantes, lisez les chapitres «Question de lumière» et «L'arrosage bien dosé».

Pour vous faciliter la tâche

1. Les plantes à tiges dures et ligneuses produisent des feuilles adaptées à leur environnement si on réduit leurs tiges de 20 à 30 % au moment de l'achat.

2. Les fougères très fournies et compactes perdront moins de feuilles (jaunes) si on élimine jusqu'à 20 % de celles-ci à l'achat, ce qui permet à la lumière de pénétrer jusqu'au cœur de la plante. La taille se fait donc en épaisseur.

3. Les plantes ont une grande faculté d'adaptation. Elles s'adaptent mieux en été qu'en hiver, car la luminosité est meilleure. De plus, la différence de luminosité entre le lieu de culture et le logement est moins grande en été, donc plus facile à surmonter.

ENTRETIEN COMMERCIAL

Ceux qui ont beaucoup de plantes à leur domicile ou dans leur lieu de travail, et qui en ont les moyens, peuvent faire appel à des entreprises spécialisées dans l'entretien des plantes. Si les conditions de lumière et l'état des plantes sont satisfaisants au début de l'entente, on peut généralement compter sur une garantie de remplacement stipulée dans le contrat d'installation.

PARLER À SES PLANTES

Les gens sourient quand on leur dit de parler à leurs plantes et, d'une certaine façon, ils n'ont pas tort: il est évident que les plantes ne comprennent pas notre langage. Il existe cependant une sorte de communication tacite entre un jardinier et ses plantes. Ce phénomène a été prouvé scientifiquement par des chercheurs de plusieurs pays d'Amérique du Nord, d'Europe et d'Asie. Ce qu'il reste à déterminer, c'est le genre d'ondes par le truchement desquelles ils communiquent.

Parler à ses plantes ne signifie peut-être pas grand-chose, mais leur porter du respect et de l'attention (pas trop, juste ce qu'il faut) n'est pas sans influence sur leur vigueur et leur santé. Peut-être suffit-il de bien comprendre leurs besoins pour qu'elles en viennent à supporter les limites et les insuffisances de notre environnement domestique.

L'aglaonema est un choix judicieux quelles que soient les conditions qui prévalent et l'entretien dont il est l'objet.

QUESTION DE LUMIÈRE

La lumière naturelle, c'est le soleil même si le ciel est couvert de nuages. Elle est un élément indispensable à notre bien-être physique et psychologique. Elle agit de la même façon sur les plantes, à cette différence près que celles-ci meurent dès que la lumière cesse d'alimenter leurs cellules. Les exigences varient néanmoins d'une espèce à l'autre. Dans la nature, certaines plantes poussent en plein soleil, d'autres à l'ombre des arbres, d'autres enfin s'accommodent des deux situations.

COMPOSITION DE LA LUMIÈRE

Contrairement aux apparences, la lumière est composée d'un ensemble de couleurs dont l'arc-en-ciel révèle l'éventail. Dans ce cas, les gouttelettes d'eau font fonction de «prismes» qui décomposent la lumière du rouge au violet; les extrêmes sont l'infrarouge et l'ultraviolet. *Les plantes ont besoin de toutes les ondes lumineuses qui correspondent aux couleurs.* Ce sont le rouge et le bleu qui ont la plus forte influence sur leur croissance, leur orientation, leurs teintes, la longueur des tiges et la floraison. Que la lumière verte prédomine et les plantes dépérissent.

Dans nos logements où la lumière est considérablement moins intense qu'à l'extérieur, les ondes lumineuses sont plus faibles et les plantes réagissent chacune selon son espèce. Si le rouge et le bleu manquent d'intensité, certaines plantes dégénèrent rapidement et peuvent même mourir.

Pour réussir

Dans votre choix des plantes et de leur emplacement, les conditions lumineuses, c'est-à-dire l'intensité et la durée de la lumière, doivent être votre souci premier. Les autres facteurs vitaux seront ajustés en fonction des conditions de lumière, comme nous le verrons dans les chapitres suivants.

Mesure de la lumière

L'unité de mesure

En termes anglo-saxons, l'unité de mesure de la lumière est le «pied-chandelle» (*foot-candle*) qui représente la quantité de lumière émise par une chandelle à un pied de distance en pleine obscurité. Dans le *système métrique,* l'unité de lumière est le «lux». Un pied-chandelle équivaut à 10,76 lux.

Les grandes compagnies d'appareillage électrique fabriquent et vendent des appareils de mesure de la lumière (ou photomètres) dont la précision est proportionnelle au prix. Les spécialistes, par exemple certains décorateurs, s'en servent fréquemment. À titre d'indication, précisons que, sur un appareil-photo, 10 000 lux correspondent à un réglage de f/8 et 1/60e de seconde pour un film d'environ 75 ISO et de f/11 et 1/250e de seconde pour un film de 200 ISO.

Des exemples

Voici quelques exemples approximatifs d'intensité lumineuse à l'extérieur et à l'intérieur de nos logements:

- sous la pleine lune, de 6 à 7 lux;
- en hiver, en plein soleil, de 50 000 à 80 000 lux;
- en été, en plein soleil, 100 000 lux et plus;
- sous un ciel nuageux en hiver, 5 000 lux et moins;
- à l'ombre d'un arbre, 1 000 à 10 000 lux; cette variation est due soit à la densité du feuillage, soit à la hauteur des branches les plus basses;

Le brassaia (ou schefflera) pousse naturellement en plein soleil, (ici, à Cuba) mais il sait se contenter d'une luminosité beaucoup plus faible, avec arrosages minimums.

- dans une pièce à 30 cm d'une fenêtre exposée au nord, en hiver, de 2 500 à 5 000 lux en moyenne au cours d'une journée;
- à 1 m de la même fenêtre, 1 500 lux et moins;
- à 30 cm d'une fenêtre ensoleillée en hiver, 25 000 lux et plus en moyenne au cours d'une journée;
- à 1 m de la même fenêtre, 10 000 lux et moins;
- la moyenne annuelle dans nos logements varie de 600 à 1 000 lux.

L'interprétation des chiffres

Plusieurs remarques importantes découlent de ces chiffres.

- À l'intérieur, on trouve environ 10 fois moins de lumière à 1 m d'une fenêtre qu'à l'extérieur.

- La lumière est très faible en hiver sans compter que les jours sont plus courts.
- L'intensité lumineuse est plus faible dans nos maisons qu'à l'ombre des arbres, habitat naturel de nombreuses plantes tropicales.
- Compte tenu des observations mentionnées, les plantes peuvent avoir de sérieuses difficultés d'adaptation.
- Dans certains cas, l'apport de lumière artificielle est indispensable.

Les conditions moyennes

Pour croître normalement, toutes les plantes ont besoin du maximum de lumière permise selon leur espèce. Cependant, certaines peuvent *survivre* à des intensités aussi faibles que 100 ou 200 lux. Il faut alors réduire les arrosages au strict minimum. C'est le cas, par exemple, des aglaonemas, des cissus, des dracænas et des bromélias. La croissance est réduite, pour ne pas dire inexistante, ce qui protège les racines d'une fatigue inutile. Dans ces conditions, la vie d'une plante reste cependant très limitée.

On peut *espérer entretenir* à peu près toutes les espèces commercialisées dans un registre lumineux variant de 600 à 1 000 lux. Par contre, pour réussir un semis, on aura besoin de 2 500 lux, et de 4 000 lux pour réussir des boutures. Mis à part le spathiphyllum, toute floraison requiert une luminosité d'au moins 5 000 lux.

FONCTIONS DE LA LUMIÈRE

Tous les mots portant le préfixe «photo» renvoient à un phénomène relatif à la lumière: la photosynthèse, par exemple.

La photosynthèse

Le terme «photosynthèse» occupe une place de choix dans le vocabulaire des horticulteurs. Il signifie qu'à l'aide de la lumière, les plantes fabriquent les matières organiques qui les composent. Dès que la lumière atteint les feuilles d'une plante, l'eau et les sels minéraux puisés dans le sol et combinés au gaz carbonique (CO_2) se transforment en sucres, en protéines, en graisses et en vitamines sous l'action de la chaleur et de la chlorophylle.

La photosynthèse est fortement activée par les rayons rouges de la lumière et, par conséquent, inopérante durant la nuit. *N'oublions pas que la photosynthèse aboutit à la fabrication de l'oxygène de l'air: sans les plantes, nous ne pourrions survivre.* En effet, si elles respirent jour et nuit, les plantes consomment beaucoup moins d'oxygène qu'elles n'en produisent (voir le chapitre «Des plantes plein les chambres»).

Le photopériodisme

La longueur des journées, appelé *«photopériodisme»*, influence les plantes de deux façons.

Sous les tropiques, la durée du jour ne change à peu près pas d'une saison à l'autre, tandis que, chez nous, les jours raccourcissent en hiver; les plantes se mettent alors en repos, c'est-à-dire que le rythme de leur croissance diminue. Idéalement, la température ambiante devrait être réduite et l'arrosage restreint à la dose d'entretien (voir le chapitre «L'arrosage bien dosé»).

La floraison est fonction de la durée d'éclairement et chaque espèce a ses exigences: des plantes de *jours courts* (moins de 12 heures de lumière par 24 heures) fleurissent en hiver et en automne (poinsettia, chrysanthème, cactus de Noël); des plantes de *jours longs* (plus de 12 heures par 24 heures) fleurissent au printemps (primevère, rhododendron, clivia, etc.); des plantes plutôt *neutres* fleurissent indifféremment (violette africaine, gloxinia, épiscia).

Le phototropisme

Dans nos maisons, la lumière n'arrive généralement que d'un côté. On peut donc observer le *«phototropisme»* chez les plantes touchées par ce phénomène. Il s'agit de l'orientation des tiges et des feuilles en direction de la lumière. Cela démontre la nécessité théorique de tourner les plantes de temps en temps: la croissance est plus uniforme et, du côté le plus sombre, les feuilles auront moins tendance à dépérir.

Pour vous faciliter la tâche

1. Pour éviter la chute des feuilles du côté le plus sombre, tourner les plantes à intervalles rapprochés: une fois par semaine ou tous les deux jours. En guise de rappel, associer la rotation des plantes à l'une ou l'autre de ses tâches régulières.

2. Pour tourner rapidement les plantes suspendues (un quart de tour par semaine), se procurer des crochets rotatifs vissés au plafond.

DIAGRAMME D'INTENSITÉS LUMINEUSES EN FONCTION DE L'ORIENTATION ET DE LA TRAJECTOIRE DU SOLEIL

Dimension théorique de la pièce:
  4 m par 4 m

Dimension théorique des
  fenêtres: 1 m de largeur
  par 1,50 m de hauteur.

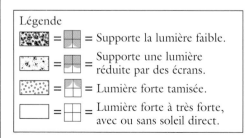

Légende

= = Supporte la lumière faible.

= = Supporte une lumière réduite par des écrans.

= = Lumière forte tamisée.

= = Lumière forte à très forte, avec ou sans soleil direct.

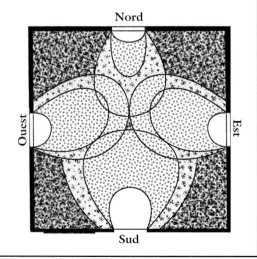

LUMIÈRE FAIBLE, MOYENNE ET FORTE

Ces 3 qualificatifs ne veulent rien dire s'ils ne sont pas associés à des points de repère chiffrés et ce, quelle que soit la saison.

D'après l'illustration précédente, les 6 zones d'intensité lumineuse sont approximativement déterminées par l'orientation des différentes pièces de la maison. Cette division permet de classer les plantes selon leur exigence optimum de lumière.

Le syngonium vit bien en lumière faible, mais ne pousse vigoureusement qu'en lumière forte tamisée.

CE QUI RÉDUIT LA LUMIÈRE DANS LES LOGEMENTS

Nous avons tendance à surévaluer l'intensité de la lumière. Sous prétexte que nous y voyons suffisamment clair et qu'il fait bon vivre dans telle pièce, nous pensons qu'il y a assez de lumière pour les plantes. Or les plantes ne se contentent pas d'une vague estimation. Beaucoup d'entre elles réagissent fortement à leur nouvel environnement lumineux (voir «Symptômes d'un excès de lumière» plus loin).

Rappelons-le, la lumière qui entre chez nous est bien minime en comparaison de celle de l'extérieur. Sous l'action des facteurs suivants, qui nous échappent plus ou moins, elle peut encore être diminuée de 2 à 10 fois:

- *La saison:* le soleil est plus fort en été; les journées sont plus longues et généralement moins assombries par les nuages.

- *La latitude:* la lumière perd de son intensité au fur et à mesure qu'on approche du nord.

- *La situation géographique:* des différences majeures marquent le sommet d'une montagne par rapport au creux d'une vallée.

- *Les arbres et tout ce qui se trouve en surplomb d'une fenêtre (auvents, balcons, etc.):* sont des réducteurs d'intensité lumineuse.

- *L'édifice situé de l'autre côté de la rue:* bloque les rayons du soleil.

- *Les moustiquaires et les vitres teintées:* agissent de la même manière.

- *Les rideaux, les tentures et les stores:* sont des causes majeures de dépérissement des plantes lorsqu'ils obstruent l'arrivée de lumière dans les fenêtres.

- *La couleur et la composition du revêtement des murs:* influencent la réflexion de la lumière. Un mur sombre absorbe les rayons lumineux, alors qu'un mur clair les projete sur les plantes.

Pour augmenter la lumière des logements

Pour contourner les inconvénients cités, on peut agir de plusieurs façons:

- placer les plantes dans une pièce où la lumière arrive de plusieurs côtés (fenêtres en coin);
- peindre ou couvrir les murs d'une couleur claire;
- recourir à la lumière artificielle (voir en fin de chapitre).

SYMPTÔMES D'UN EXCÈS DE LUMIÈRE

En termes d'intensité

Les symptômes d'excès de lumière sont rares et apparaissent chez les plantes situées au bord de fenêtres très ensoleillées. Ils affectent soit des plantes dites d'ombre (fougères, aglaonemas, aralias, violettes, philodendrons, etc.), soit des plantes cultivées en lumière réduite en vue d'une meilleure adaptation à nos logements. Voici les symptômes.

- *Jaunissement généralisé* à partir des feuilles du dessus.
- *Apparition de brûlures:* la feuille desséchée par endroits se perfore. Certaines vitres agissant comme une loupe accentuent les dégâts.
- À titre d'effet secondaire, *le rythme d'évaporation est accéléré* et les plantes manquent d'eau (voir le chapitre «L'arrosage bien dosé»).

En termes de durée

Dans les bureaux, on laisse parfois les lumières allumées 24 heures par jour, ce qui occasionne une fatigue prématurée des plantes. Certaines, comme les scheffleras et les ficus, peuvent présenter des symptômes de décoloration.

Pour les plantes qui fleurissent en période de jours courts, tout excès d'éclairement pendant la phase préparatoire de la floraison peut bloquer celle-ci.

SYMPTÔMES D'UN MANQUE DE LUMIÈRE

Même les plantes qui tolèrent moins de 600 lux sont sujettes aux symptômes d'un manque de lumière. Ceux-ci résultent de la diminution, voire de l'absence de photosynthèse. Toutes les fonctions de la plante sont ralenties: absorption par les racines, respiration, transpiration et circulation de la sève dans les tiges. Ces symptômes sont accentués par des arrosages trop fréquents ou trop abondants et par l'application d'engrais.

La chute des feuilles

Voilà une *réaction normale* de toute plante dont les conditions d'éclairement subissent un changement sensible, par exemple, le passage d'une serre de production au fleuriste, puis au domicile. Après une certaine période d'adaptation, la plante peut se stabiliser ou se détériorer: les feuilles continuent à tomber, *surtout celles du bas*. Celles du haut empêchent les rayons lumineux de parvenir au centre et au bas de la plante. Privées de leur activité, les feuilles jaunissent et meurent. Entre autres, c'est le cas des *Ficus decora, Ficus benjamina*, dieffenbachia, schefflera et de toutes les plantes gourmandes de soleil, comme les plantes colorées et les plantes à fleurs.

La chute des bourgeons

Les plantes à fleurs, surtout les gardénias, hibiscus, dipladenias, passiflores, perdent leurs bourgeons avant qu'ils ne s'ouvrent. Ce problème tient également à l'arrosage excessif. Nous verrons dans un chapitre ultérieur *qu'un arrosage devient excessif quand la plante privée de lumière ne parvient pas à absorber toute l'eau qu'on lui donne.*

Rabougrissement

Processus de dégénérescence, le rabougrissement peut prendre du temps si les autres facteurs d'environnement sont satisfaisants. Le plus souvent indépendant de la chute des feuilles, le rabougrissement comporte 3 étapes:

- Les feuilles et les tiges nouvelles sont plus petites;
- Les folioles chez les plantes à feuilles composées, comme le schefflera, sont moins nombreuses;
- Petit à petit, la plante perd sa forme initiale: les tiges s'allongent et s'amincissent, et la plante, plus ou moins déséquilibrée, penche vers la source de lumière.

Dépérissement des racines

L'étape finale avant la mort de la plante consiste dans le dépérissement des racines. La photosynthèse étant médiocre, l'élongation et la ramification des racines s'arrêtent. Appelées à pousser la sève de plus en plus loin au fur et à mesure que les tiges s'étirent et s'étiolent, elles s'épuisent.

Des *Philodendron cordatum* fatigués, longs de 2 ou 3 mètres, sont parfois soutenus par des racines d'à peine 4 ou 5 cm, pourrissant dans la terre humide d'un pot devenu trop grand.

Pour remettre en forme

Un philodendron étiolé a peu de chances de revenir à la normale, mais s'il n'est pas encore en phase terminale, on peut couper sa tige à 50 cm au-dessus du pot, le rempoter dans un pot de 10 cm, qu'on remplit d'une terre légère, et lui donner de la lumière.

RÉPARATIONS ET REMÈDES

Dans le cas d'une *exposition excessive au soleil*, il faut relocaliser la plante dans un endroit plus abrité ou la protéger du soleil par un écran quelconque, un rideau de tergal, par exemple. Les horticulteurs vaporisent le toit et les murs des serres d'un enduit blanc épais qui «colle» au verre une partie de l'année. D'autres étendent des toiles à l'intérieur, qui produisent de l'ombre.

Dans le cas d'un *manque de lumière,* on peut aménager une combinaison des thérapies suivantes (voir aussi le chapitre «La taille»).

1. À titre préventif, *taillez* toutes les pousses chétives dès qu'elles apparaissent et gardez la plante à la dimension à laquelle vous l'avez achetée.

Pour vous faciliter la tâche

Il vaut mieux empêcher la croissance que de mettre la plante en danger.

2. Pour éviter la chute excessive des feuilles, *éclaircissez* (ou faites-le faire par votre fleuriste) toutes les branches ou les feuilles qui nuisent à la pénétration de la lumière et ce, dès que vous recevez la plante. N'ayez pas peur d'en enlever, vous serez récompensé plus tard: la pousse de jeunes tiges acclimatées sera d'autant favorisée.

3. Si votre plante est déjà très étiolée, *éliminez toutes les pousses dont la vigueur n'apparaît pas normale* et ne gardez que les feuilles de bonne dimension. Taillez, même si les feuilles du bas sont tombées depuis longtemps.

À Cuba, les épiscias reçoivent un peu de soleil tropical, pourquoi les en priver chez nous?

26

4. Trouvez un endroit où la lumière est satisfaisante (2 000 lux au minimum) et *organisez une rotation:* chacune son tour situez alternativement vos plantes à l'endroit sombre puis à la lumière, en donnant la priorité aux plantes récemment taillées (voir la rubrique précédente).

5. *Tournez les plantes régulièrement:* c'est-à-dire d'un quart de tour par semaine lorsque vous vérifiez l'arrosage.

6. *Évitez absolument l'usage d'engrais* qui ne feront qu'empirer les choses: on ne gave pas d'aliments riches un estomac malade.

7. *Vérifiez les racines:* sortez la plante de son pot: si les racines sont endommagées, rempotez *dans un pot plus petit* pour favoriser le développement de nouvelles racines.

8. Si vous avez accès à une serre, *entreposez* vos plantes pendant 1 ou 2 mois; dans le cas contraire, installez une source de lumière artificielle à quelque 20 cm au-dessus des feuilles supérieures.

LUMIÈRE ARTIFICIELLE

Dans le garage, dans le sous-sol, dans la cuisine, dans le salon ou sous l'escalier, on peut installer des sources de lumière artificielle pour multiplier, cultiver, guérir ou simplement entretenir les plantes.

Divers modèles

Il existe sur le marché de nombreux accessoires permettant d'augmenter l'intensité lumineuse: lampes d'appoint, ampoules de plusieurs formats à lumière blanche, ampoules régulières à lumière jaunâtre, fluorescents ordinaires ou spéciaux pour plantes. Tous ont leur utilité à condition qu'ils soient situés à la bonne distance. Certaines marques coûtent trop cher en proportion de leur rendement. Il s'agit d'évaluer exactement le besoin des plantes avant d'acheter. Le schéma qui suit permet de déterminer ce que l'on peut attendre d'un système à 2 fluorescents d'après l'échelle d'intensités lumineuses établie à la page 22.

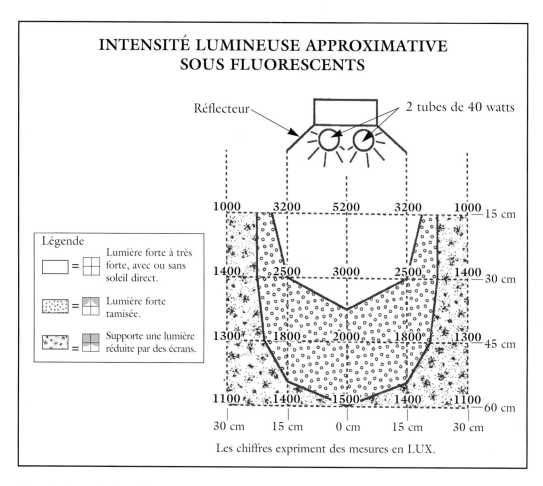

INTENSITÉ LUMINEUSE APPROXIMATIVE SOUS FLUORESCENTS

Réflecteur

2 tubes de 40 watts

1000	3200	5200	3200	1000	15 cm
1400	2500	3000	2500	1400	30 cm
1300	1800	2000	1800	1300	45 cm
1100	1400	1500	1400	1100	60 cm

30 cm   15 cm   0 cm   15 cm   30 cm

Légende

☐ = Lumière forte à très forte, avec ou sans soleil direct.

▨ = Lumière forte tamisée.

▨ = Supporte une lumière réduite par des écrans.

Les chiffres expriment des mesures en LUX.

Quelques règles d'utilisation

- Un tube fluorescent de 40 watts illumine de 3 à 4 fois plus qu'une ampoule incandescente de 40 watts. Il est donc plus économique.

- La lumière fluorescente dégage peu de chaleur: on pourra placer le tube à 20 cm des feuilles les plus hautes.

- La lumière d'une ampoule ordinaire dégage beaucoup de chaleur, les feuilles situées à moins de 45 cm risquent de brûler.

- Les tubes au néon et autres types d'éclairage spécialisé produisent une lumière «blanche» diffusant peu de rayons rouges. On remédie à cela en ajoutant 10 % de lumière provenant d'ampoules ordinaires (25 watts).

- Pour un bon rendement, la distance entre les feuilles et la source de lumière doit varier de 20 à 80 cm (voir illustration). Il n'est pas rare de voir des réflecteurs braqués sur le sommet d'une plante de 1,5 m et plus: les feuilles du bas qui échappent à ce supplément tombent rapidement.

- La durée d'éclairement optimum varie de 12 à 16 heures par jour selon les objectifs poursuivis (entretien, bouture, semis...).

Vue générale de la question de lumière

Une plante réagit aux différentes conditions de la lumière en raison des 3 facteurs suivants:

- l'espèce à laquelle elle appartient, dont la résistance aux conditions extrêmes varie;
- sa vigueur et principalement la force de ses racines;
- le rythme d'acclimatation auquel on l'a soumise.

L'alamanda ne fleurit bien qu'en lumière forte et il boit beaucoup.

Le spathiphyllum fleurit même en lumière faible.

Pour vous faciliter la tâche

Dans les endroits qui manquent de lumière, en termes d'intensité et de durée, on prendra soin de limiter les arrosages. Par contre, si la chaleur est élevée, il faudra fournir aux racines l'eau que draine la transpiration des feuilles. Il vaudrait mieux cependant diminuer la température. De cette façon, le rythme de croissance de la plante ralentit; elle ménage ses forces tout en conservant une apparence attrayante.

DES PLANTES PLEIN LES CHAMBRES

Il ne faut pas avoir peur de mettre des plantes dans toutes les pièces de la maison, y compris les chambres. Ce qu'on raconte à propos des dangers associés aux plantes n'est absolument pas fondé.

Tout ce qui respire absorbe de l'oxygène (O_2) et rejette du gaz carbonique (CO_2). D'où vient cet oxygène? Ce sont les plantes qui le fabriquent pendant le jour en absorbant le gaz carbonique de l'air. Autrement dit, le processus de la photosynthèse, qui caractérise les plantes, purifie l'air.

CE QU'EN PENSE LA SCIENCE

Il a été prouvé scientifiquement que la quantité de gaz carbonique dégagée par une plante, si volumineuse soit-elle, est à ce point minime que seuls des appareils hypersensibles parviennent à la mesurer. Son influence sur l'être humain est donc négligeable.

Des chercheurs affirment qu'une centaine de plantes maintenues pendant plusieurs jours dans une pièce fermée ne haussent pas le taux de gaz carbonique au-delà d'un niveau normal, soit environ 0,03 %. Par contre, 20 personnes dans la même pièce dépourvue de plantes augmenteraient sensiblement ce taux. Bref, nous captons beaucoup plus de gaz carbonique sur la rue que dans une chambre à coucher remplie de plantes. Il se pourrait

même qu'une excellente façon de libérer ses poumons des émanations urbaines soit de passer quelques heures par jour dans une serre envahie par la végétation.

À ceux qui persisteraient à croire le contraire, il faudrait demander s'ils sont déjà tombés malades en se promenant dans les bois après le coucher du soleil…

Même les dieffenbachias à grandes feuilles sont les bienvenus au pied du lit.

Même immense, le *Ficus allii* donne de la vie à la chambre à coucher.

AUTRES AVANTAGES

De la photosynthèse résulte un autre bienfait. En dégageant de l'oxygène sous l'action de la lumière et de la chaleur, les feuilles libèrent aussi de la vapeur d'eau. Les plantes contribuent donc à élever le niveau d'humidité, réduisant d'autant les inconvénients d'un air trop sec. En somme, entourés de plantes, on respire mieux et les meubles de bois craquent moins.

La mise au point que nous venons de faire vaut aussi bien pour les malades dans les chambres d'hôpitaux que pour les personnes en santé. Sans compter le réconfort qu'une plante ou une fleur bien vivante peut procurer nuit et jour à la personne alitée dont le moral est bas.

Mise en garde

Toute règle a ses exceptions. En l'occurrence, les résidus des pesticides de synthèse sur les plantes récemment traitées peuvent causer des malaises aux personnes sensibles. Encore une fois, le danger ne réside pas dans la plante elle-même.

SCHÉMA DE LA PHOTOSYNTHÈSE ET DE LA RESPIRATION

- **la photosynthèse (jour seulement):**

gaz carbonique de l'air + eau du sol $\xrightarrow{\text{action de la lumière et de la chaleur}}$ matières organiques (feuilles, tiges, racines) + oxygène de l'air

- **la respiration (jour et nuit):**

matières organiques (feuilles, tiges, racines) + oxygène de l'air $\xrightarrow{\text{avec dégagement de chaleur}}$ gaz carbonique + vapeur d'eau (qui s'échappent dans l'air)

SORTIR LES PLANTES DEHORS

Dans leur habitat naturel, les plantes d'intérieur vivent dehors. A priori, il apparaît tout à fait normal de leur faire passer un petit moment au jardin ou sur le balcon en été. Oui, mais attention! Quelques précautions et même des restrictions s'imposent.

Quelques précautions

1. *Sortir les plantes n'est pas obligatoire.* En fait, si elles sont florissantes à l'intérieur il faut, avant de les sortir, être absolument sûr de son coup et respecter les conditions de réussite. Quoi qu'il en soit, attendre les températures chaudes de fin de printemps ou de début d'été.

2. Les feuilles qui poussent dehors sont assez solides et assez épaisses pour résister à la chaude caresse du soleil et à la fougue des vents. *Quand elles poussent à l'intérieur,* elles ont plus à craindre de la poussière que des caprices climatiques et ne sont pas enclines à se carapacer autant. Elles sont plus souples, plus minces, donc, plus fragiles. Par ailleurs, la lumière des maisons étant plus faible, leurs racines fonctionnent au ralenti et ne puisent pas dans la terre les ingrédients nécessaires à une forte constitution.

ATTENTION AU VENT

Quand on a la peau fragile, on ne l'expose pas trop longtemps aux rafales. Il en va de même pour les plantes qui ont poussé à l'intérieur. Si de surcroît, leurs feuilles se prennent pour des drapeaux, elles prendront vite l'aspect de guenilles passées au robot culinaire.

C'est le cas des fougères, des dracænas, des hibiscus, des scheffleras, etc. Pour les premières, choisissez un endroit totalement protégé du vent et du soleil. Pour que les autres espèces ne soient pas mutilées par l'impétuosité éolienne, taillez-les sans remords au moyen d'un sécateur juste avant de les sortir.

Coupez la tête des dracænas, mais raccourcissez d'au moins un tiers chaque branche des hibiscus et des scheffleras. Pour stimuler la croissance, ajoutez un peu de terreau neuf ou de compost autour des racines. Les nouvelles pousses et les nouvelles feuilles s'adapteront parfaitement à la vie en plein air.

Pour vous distinguer

Certaines plantes supportent très bien de brèves sorties sans trop de précautions parce que, à l'intérieur comme à l'extérieur, elles fabriquent des feuilles assez épaisses. La plus courante est le laurier rose *(Nerium oleander)* qui se met alors à fleurir comme au bord de sa Méditerranée natale ainsi que 2 membres de la même famille: l'adénium et l'alamanda. Le pittosporum et l'ardisia sont aussi de ces plantes-là, mais elles fleurissent rarement.

SOIGNER LA SORTIE

Quelle que soit la plante que vous envoyez en vacances au fond du jardin, pour éviter de graves méfaits, allez-y doucement.

Quand les risques de gel nocturne sont passés, sortez-la le soir sur le balcon ou sur la terrasse et laissez-la dehors jusqu'à votre départ pour le travail, le matin suivant. Comptez au moins de 3 à 4 semaines de sortie progressive; cela vaut pour les cactus, qu'ils aient passé l'hiver chez vous ou dans une serre. Au fur et à mesure que la saison avance, prolongez la sortie quotidienne en laissant votre routine déterminer les points de repère: départ et arrivée du travail, brossage de dents, toilette du chien ou passage du facteur. S'il le faut, faites participer les enfants qui rentrent de l'école avant vous.

Le laurier *(Nerium oleander)* supporte bien les sorties rapides, même en plein soleil.

RESPECTER LES DÉSIRS DE CHACUNE

À moins de vouloir faire une fricassée de vos plantes préférées, méfiez-vous du soleil qui risque de transformer les feuilles en carbone 14. Un séjour à l'ombre est généralement bénéfique à toutes les plantes et se rapproche davantage de leurs conditions de vie à l'intérieur (lumière, humidité, chaleur); les risques de dommage sont donc pratiquement nuls. C'est l'idéal pour les plantes de la famille des philodendrons: pothos, aglaonema, spathiphyllum, syngonium.

La période d'adaptation est beaucoup plus longue (sauf pour le laurier) lorsque les plantes sont exposées au soleil, même pour les crotons et les cactus. Un long séjour dans la maison leur a fait une peau fragile. Une sortie intempestive leur infligerait des coups de soleil semblables à ceux qui guettent votre peau blanche au terme de l'hiver. S'il n'existe pas de calendrier de sortie, on estime que prolonger l'exposition au soleil de 1 à 2 heures par semaine, selon les espèces, est un risque calculé.

SURVEILLER L'ARROSAGE

Si vous placez vos plantes à l'ombre d'un arbre, attention! La pluie risque de ne pas la toucher, et il faudra arroser, peut-être même tous les jours. En fait, quel que soit l'endroit où vos plantes prennent l'air, surveillez constamment l'arrosage. Lumière forte, chaleur et vent augmentent la consommation d'eau et accélèrent d'autant la croissance.

De préférence, évitez de placer un pot même avec trous de drainage directement sur le sol d'une plate-bande. Faute de surface pavée ou bétonnée, glissez une soucoupe entre le pot et la terre, sans quoi les bestioles pourraient trouver plus savoureux le contenu du pot que la terre du jardin et s'y installer, tandis que les racines de la plante tenant le raisonnement inverse pourraient s'ancrer dans le jardin. L'automne venu, on risquerait de les traumatiser en les coupant avant de rentrer à la maison.

SE MÉFIER DES INSECTES

Les principaux risques reliés à la sortie des plantes sont d'ordre parasitaire. Des insectes trouvent dans leur chair tendre un terrain propice où s'installer. Les acariens (sortes d'araignées minuscules, rouges ou blanches) vont se jeter avec gourmandise à la face inférieure des scheffleras, des polyscias, des lierres, bref, de toute la famille des araliacées.

Quant aux cochenilles farineuses (amas cotonneux blanc et collant), elles logent sans permission sur les cactus, les lauriers, les pittosporums et souvent sur les ficus, généralement à l'intersection d'une feuille et d'une tige.

L'*Adenium obesum*, proche du laurier, adore la vie en plein air durant l'été.

À éviter

Surtout ne pas sortir les palmiers. Ils ont la manie d'attraper tous les insectes qui se promènent innocemment dans le jardin.

Pour vous distinguer

Les cactus de Noël (schlumbergera ou zygocactus) profitent des températures fraîches de la fin d'été pour commencer à former les bourgeons qui fleuriront en décembre.

UNE RENTRÉE EN DOUCEUR

Autant que possible, le retour de vos plantes vers leur quartier d'hiver doit se faire en douceur, comme leur sortie. Généralement plus rapide, la rentrée devrait être progressive pour éviter un choc qui aboutit souvent à une regrettable chute des feuilles. Commencez par les rentrer la nuit quand les températures prévues sont inférieures à 10 °C. Au fur et à mesure que baisse la température, prolongez leur séjour dans la maison.

Pour réussir

Par mesure de précaution, regrouper les plantes dans la baignoire et les asperger avec de l'eau savonneuse ou un savon insecticide.

QUESTION DE TEMPÉRATURE

Pour bien comprendre les plantes et leurs réactions, observons ce qui se passe dehors, dans leur habitat naturel. Nous essaierons d'imiter le mieux possible ces conditions dans nos maisons en tenant compte, bien sûr, d'une intensité lumineuse moindre qui ralentit leur rythme de vie.

D'une manière générale, quelle que soit la saison, la température est toujours plus basse la nuit. Les plantes, les animaux et les humains se reposent. La photosynthèse cesse. Toutes les fonctions de la plante sont ralenties.

Sous les tropiques, la différence entre l'été et l'hiver est peu sensible: l'une est la saison humide, l'autre est la saison sèche. La saison sèche offre des températures modérées et peu de pluie. La saison humide est, quant à elle, marquée par des températures élevées, jusqu'à 35 ou 40 °C, et par un taux d'humidité élevé que favorisent les pluies abondantes, fréquentes et de courte durée. Ajoutons à cela une brise bienfaisante et les meilleures conditions sont réunies pour que poussent harmonieusement les plantes.

Rappelons que l'air chaud se dilate et peut contenir beaucoup plus d'humidité que l'air froid. *C'est pourquoi, pendant nos hivers, l'air extérieur est sec et supportable, tandis que l'air surchauffé de nos maisons paraît encore plus sec et cause des irritations.* Nous verrons dans le chapitre «Aération et humidité de l'air» comment adapter les plantes à cette réalité.

DANS LA MAISON

Chez nous, l'été, la température pose peu de problèmes, sinon quelques pointes de chaleur. Le jour comme la nuit, essayez de la baisser un peu (n'oublions pas que la lumière est loin d'être idéale) en provoquant de légers courants d'air.

L'hiver, c'est évident, les maisons sont trop chaudes. Comme la lumière est plus faible et dure moins longtemps, on devrait obligatoirement réduire la température. Pour le bien-être des plantes, et le nôtre aussi, le thermostat devrait être réglé de 20 à 22 °C, maximum, pendant la journée, de 15 à 18 °C pendant la nuit. Quand vous vous absentez, maintenez l'air ambiant à environ 12 °C. Nous verrons plus tard qu'un tel traitement entraîne une réduction marquée des arrosages.

Une précaution s'impose: on a tendance à disposer les plantes tout près de la fenêtre pour qu'elles profitent de la lumière, mais les rebords sont généralement très froids et les plantes risquent de geler près des vitres.

IMPORTANCE DE LA CHALEUR

Les températures sans danger grave pour les plantes s'échelonnent de 10 à 40 °C. Les principales fonctions physiologiques suivantes agissent alors normalement, ou presque.

- La *photosynthèse* dont dépendent la croissance et le développement de la plante ne peut avoir lieu sans le concours de la chaleur, mesurée alors en calories.

- La *croissance des racines* et leur fonctionnement (absorption de l'eau et des sels minéraux) sont perturbés dans un sol froid.

- La chaleur provoque la *transpiration* des feuilles et l'*évaporation de l'eau* du sol, deux phénomènes indispensables à la montée et à la circulation de l'eau dans la plante.

- La *transpiration* donne lieu à la formation d'une couche d'humidité (vapeur d'eau) autour des feuilles, ce qui les protège tant bien que mal des excès de température et d'un air trop sec.

- La chaleur active la *germination* des graines et la reprise des *boutures* et des jeunes plants. Certains horticulteurs utilisent des «tables chauffantes» où le sol est porté à une température de 25 à 35 °C selon le but poursuivi. Un tel chauffage s'obtient par 3 méthodes: l'électricité, la circulation d'eau chaude ou une couche sous-jacente contenant du fumier en décomposition.

LES EXTRÊMES

En deçà de 10 °C et au-delà de 40 °C, les plantes montrent à peu près les mêmes signes de faiblesse, dont voici un aperçu.

- Les fonctions vitales ralentissent et peuvent être sévèrement perturbées.

- Les symptômes du gel et du dessèchement apparaissent.

L'asparagus n'aime pas beaucoup les grandes chaleurs. Il vaut mieux le suspendre le plus bas possible.

L'AIR CLIMATISÉ

Avantage principal de l'air climatisé: il maintient la température à un niveau d'équilibre avec les conditions lumineuses qui, dans les bureaux et les espaces commerciaux, sont de nature artificielle (600 à 1 500 lux). Des stores ou des rideaux filtrent habituellement la lumière des fenêtres de tels immeubles.

Lumière basse, température réduite, il ne reste qu'à limiter les arrosages pour que les plantes se portent bien.

Néanmoins, l'air climatisé est soufflé et pour peu qu'il soit projeté sur les feuilles, une évaporation se produit qui diminue la température et entrave le bon fonctionnement de la plante.

SYMPTÔMES D'UN EXCÈS DE CHALEUR

En ordre d'apparition, voici les symptômes d'un excès de chaleur.

- Ramollissement des feuilles: la plante réduit la surface de son feuillage pour limiter l'évaporation.

- Vu le manque d'eau, la couleur pâlit et la plante commence à flétrir (feuilles, tiges, fleurs). Les radicelles peuvent sécher et mourir. Si l'on arrose dans les 12 heures qui suivent, la plante retrouve à peu près son apparence coutumière.

- Les feuilles et les fleurs tombent, la tige est déshydratée et les racines meurent. Il y a peu de chances de récupérer la plante.

Pour sauver la plante

Si de bonnes conditions de température sont rétablies, la vie de la plante ne sera pas affectée.

Pour les remèdes, voir le chapitre traitant de la taille.

SYMPTÔMES D'UN EXCÈS DE FROID

Après quelques heures d'exposition au froid (de 1 à 4 heures), des dégâts importants se manifestent.

- La plante se recroqueville pour se protéger.

- Les feuilles prennent une apparence gaufrée; elles raidissent et deviennent cassantes.

- Toutes les fonctions de la plante sont ralenties, voire arrêtées.

- En deçà d'une certaine température (variable selon les espèces), les parties exposées à l'air gèlent: les cellules éclatent, les tiges et les feuilles noircissent, restent molles quelques heures puis sèchent. Les radicelles meurent. La plante est alors irrécupérable.

Pour récupérer la plante

Si on intervient rapidement, la tige principale et les racines peuvent résister. Dans ce cas, on élimine toutes les parties blessées; on coupe la tige pour encourager le démarrage de bourgeons latéraux (voir le chapitre «La taille»). Cette opération ne s'applique cependant pas aux palmiers qui ne peuvent être taillés. Ensuite, arroser la plante avec de l'eau tiède.

En général, tant que les racines sont intactes, la plante peut être sauvée.

Il faut se rappeler qu'une plante est d'autant plus sensible au froid qu'elle est gorgée d'eau et que le sol est humide. Par conséquent, si on doit exposer une plante au froid, s'abstenir de l'arroser pendant toute une semaine.

L'EMBALLAGE

En hiver, la cause principale de gel est le transport. Malgré maintes précautions (emballage, isolation, véhicules chauffés), il arrive quelquefois qu'une plante prenne un coup de froid.

Amoureux de la chaleur, le bégonia rex devrait recevoir beaucoup de lumière pour vivre en harmonie avec le jardinier.

Généralement, une plante bien emballée (au moins 2 épaisseurs de papier) peut traverser 2 minutes de froid intense (disons -15 °C). Cela vous donne le temps de traverser la rue, de réchauffer la voiture, d'aller chercher du lait ou des cigarettes, etc.

Pour transporter de petites plantes par temps froid, rien de tel qu'une boîte de carton bien fermée. Enveloppez les plantes plus grandes dans du carton ondulé.

A priori, le plastique est un mauvais protecteur, mais un sac gonflé d'air chaud pour la circonstance, et fermé hermétiquement, peut assez bien isoler la plante transportée. Les feuilles en contact avec les parois du sac risquent cependant de geler.

Pour sauver les plantes

En hiver, l'efficacité d'un emballage est avant tout une question de distance à parcourir. La température dans l'emballage doit s'approcher le plus possible de la température intérieure. Par conséquent, plus la distance à parcourir est courte, plus le temps d'exposition au froid est bref et plus la protection peut être légère.

LES CONDITIONS IDÉALES

Voici, en résumé, les conditions idéales pour la santé de *la majorité des espèces.*

- Le jour: en été, de 20 à 30 °C; en hiver, de 15 à 22 °C.

- La nuit: en été, de 15 à 20 °C; en hiver, de 12 à 18 °C.

- En été, aérez suffisamment.

- Autant que possible, ajustez les arrosages en fonction de la température et de la lumière (intensité et durée).

La plupart des plantes qui fleurissent, comme les cactus, ont besoin d'un repos au frais pendant l'hiver, et de chaleur le reste du temps.

LA TERRE, TUTEUR ET NOURRICE

La nature, parfois capricieuse, ne met pas toujours à la disposition des plantes une terre aussi riche, aussi équilibrée que celle de nos jardins et de nos salons. Dans leur milieu naturel et compte tenu de leur espèce, les plantes tropicales se développent aussi bien dans des terres très pauvres, rocailleuses et sablonneuses, que dans des sols très riches en matière organique, comme c'est le cas des plantes de sous-bois dont les feuilles décomposées des forêts tropicales sont le principal support.

Certaines espèces que nous cultivons dans des pots bien remplis sont des plantes épiphytes, c'est-à-dire dotées d'un système de racines rudimentaires, qui poussent sur l'écorce des arbres ou à même les pierres. C'est le cas des bromélias, des orchidées, des cactus et de plusieurs autres espèces qui n'ont besoin que de très peu de terre.

RÔLE DE LA TERRE

Pour des raisons évidentes d'entretien et de manipulation, les horticulteurs doivent cultiver et vendre leurs plantes dans des pots remplis d'un mélange qui les soutient et les alimente.

Le soutien

Les racines se développent et se ramifient; elles «s'accrochent» aux particules de terre et servent ainsi à maintenir la plante en position normale.

L'alimentation

La terre contient de l'eau et des sels minéraux dont, entre autres, l'azote, le phosphore et la potasse (voir le chapitre «Les engrais»), indispensables au bon fonctionnement de la plante. Les cellules sont constituées de 50 à 90 % d'eau et les sels minéraux contribuent à la fabrication des matières organiques par l'intermédiaire de la photosynthèse (voir le chapitre «Question de lumière»).

Toute faiblesse des racines, quelle que soit la cause (accidents, excès d'eau, manque de lumière, insectes et maladies), aura des conséquences néfastes sur le maintien et l'alimentation de toute la plante.

Les scheffleras et les membres de leur famille vivent dans une terre d'autant plus riche que les conditions lumineuses sont élevées.

DÉFINITION

La terre est la couche la plus superficielle de notre planète; c'est celle qui porte nos multiples cultures. Que contient la terre?

Des solides

Étroitement mélangées pour former les «agrégats», les substances solides occupent le plus gros volume de la terre. Entre autres, on trouve:

- *des éléments minéraux* tels que le sable, l'argile, le calcaire et d'autres débris de roches de dimensions variées, dont la nature varie selon la situation géographique;

- *de l'humus,* c'est-à-dire des matières organiques décomposées de source végétale le plus souvent (voir plus loin «Qualités d'une bonne terre»).

Des liquides

Dans les conditions normales d'une terre bien égouttée, l'eau enveloppe d'une couche très fine toutes les particules de terre. Cette eau s'évapore à partir de la surface ou se trouve absorbée par les racines qui sont en contact étroit avec ces particules. Dans le cadre du chapitre «Le rempotage bien pensé», nous traiterons de la nécessité absolue de maintenir ce contact.

Soit à l'état naturel (décomposition de l'humus), soit à la suite d'apport d'engrais, l'eau du sol contient, en solution, tous les éléments minéraux présents dans la terre.

Du gaz

Environ 20 à 30 % du volume d'une terre normale, non compactée, est réservé à l'air. Cet air contient:

- 20 % d'oxygène (O_2) grâce auquel les racines respirent et les matières organiques se décomposent sous l'action des bactéries;

- moins de 0,03 % de gaz carbonique (CO_2) provenant soit de l'air ambiant, soit des 2 phénomènes mentionnés ci-dessus;

- presque 80 % d'azote (N) et de gaz rares contenus dans l'atmosphère;

- quelquefois de l'éthylène dégagé par certains végétaux. Une quantité excessive d'éthylène entrave la respiration des racines et occasionne de graves lésions, voire un dépérissement rapide de la plante.

Des micro-organismes et des animaux

De tous les petits animaux vivant dans la terre, le plus bénéfique est le ver de terre qui contribue à l'aération du sol. De plus, ses excréments enrichissent le sol en humus. On peut également trouver des mille-pattes, des larves d'insectes peu ou pas nocifs. On détruira les graines de mauvaises herbes en stérilisant la terre. À noter que ces graines ne se développent pas si les conditions de lumière sont insuffisantes.

On trouve aussi des bactéries dont certaines sont très utiles: à l'aide de l'oxygène de l'air, elles transforment la matière organique en sels minéraux nécessaires à la plante.

Selon la phrase célèbre de Lavoisier, dans la nature, «rien ne se perd, rien ne se crée, tout se transforme». Les végétaux absorbent les sels minéraux du sol grâce à la photosynthèse (voir le chapitre «Question de lumière») puis les transforment en matières organiques qui retourneront au sol ou seront consommées soit par les animaux, soit par les humains pour aboutir dans la terre sous forme de déchets; les bactéries transforment ces déchets en sels minéraux (azote), principale nourriture des plantes, et le cycle continue.

Ce cycle sans fin mérite d'autant plus notre protection que sans la terre, nous ne pourrions survivre (voir plus loin «Les composants d'un bon mélange»).

QUALITÉS D'UNE BONNE TERRE

Voici les caractéristiques d'une terre idéale, étant bien entendu que le jardinier ne peut que s'en approcher.

Consistante

Pour assurer un *support* adéquat aux racines, un bon équilibre des 3 éléments suivants est requis: argile, sable et humus. La terre ne doit pas se compacter, sans quoi les arrosages répétés la transformeraient en «pain» impénétrable que ni l'air, ni l'eau, ni les racines ne parviendraient à percer. C'est pourquoi on recommande d'ajouter un ingrédient essentiel: la perlite.

Riche

Une bonne terre doit contenir la plupart des *éléments minéraux nécessaires à l'alimentation*. On les trouve principalement dans l'humus et ce sont les bactéries qui, en les transformant, les renvoient à la plante (voir plus loin «Rôle de l'humus»). Un ajout d'engrais est parfois requis. N'oublions pas que certains minéraux en quantité infime dans le sol sont tout aussi indispensables que les autres (fer, magnésium, bore, etc.).

Légère

La légèreté de la terre revêt 2 fonctions:

* l'aération qui assure la respiration des racines (rappelons ici l'importance de la perlite);
* la capillarité qui permet à l'eau de descendre facilement, aux excès de s'égoutter rapidement et à l'humidité du fond de remonter vers la surface à mesure qu'elle s'assèche.

Fine

Il sera quelquefois nécessaire de tamiser la terre pour réussir les semis. Une terre trop fine risque cependant de se compacter dans les pots, ce qui nuit fortement aux racines. Éviter, par conséquent, les sables très fins.

Acide

(Voir la rubrique «L'acidité».) La plupart des plantes ont besoin d'une terre acide semblable à leur habitat naturel.

Moelleuse

Une terre moelleuse ne colle pas quand on la presse dans la main et elle ne s'effrite pas davantage. Elle adhère bien aux racines et ne risque pas de se compacter lors du rempotage.

Humide

Les terres lourdes restent humides longtemps, mais elles sont généralement néfastes à la culture en pot. Pour qu'une terre légère garde bien l'humidité, on conseille d'ajouter une bonne proportion de vermiculite (voir «Les composants d'un bon mélange»).

RÔLE DE L'HUMUS

Le terme «humus» désigne une matière noire issue de la décomposition à l'air libre de diverses matières organiques (feuilles, fumier, déchets végétaux de toutes sortes). *L'humus est la clé du succès de la culture et de l'entretien des plantes.*

Particularités physiques

L'humus agit comme une éponge: il se *gorge d'eau* facilement et la libère lente-ment. Il empêche donc la terre de se dessécher trop vite.

Particularités chimiques

La décomposition de l'humus aboutit à la libération dans le sol des principaux *éléments minéraux* absorbés par les racines: l'azote, le phosphore, la potasse. Il agit aussi en tant que régulateur de l'acidité de la terre.

Comme il se décompose, *il importe d'en rajouter régulièrement* pour garder toutes ses qualités à la terre.

LES COMPOSANTS D'UN BON MÉLANGE

On classe les composants d'un bon mélange en fonction de leur origine et de leur principale utilité.

Les minéraux

La terre de base: selon son origine géographique, la terre de surface aura une prédominance argileuse, sablonneuse ou organique (terre noire); on ne l'utilise pas seule dans les pots parce qu'elle se tasserait trop.

Le sable fin: attention, il retient beaucoup d'eau.

Le sable grossier (de 1/2 à 1 cm de diamètre): il contribue à donner de la capillarité au mélange.

Le gravier: il n'est pas néfaste en mélange, mais on le place au fond du pot pour assurer le drainage.

Les cendres: elles contiennent de 3 à 4 % d'azote, de 7 à 15 % de phosphore et de 1 à 10 % de potasse; elles agissent comme engrais à action lente.

La vermiculite: il s'agit d'une sorte de mica qui, comme le sable, donne de la légèreté. Elle absorbe 7 fois son volume d'eau.

La perlite: on obtient ces grains blancs dont l'intérieur est une bulle d'air en traitant des résidus minéraux volcaniques; avantageusement plus légère que le sable, la perlite aide à prévenir le compactage. On la remplace parfois par des billes de styromousse.

La matière organique

Les déchets végétaux du jardin et de la cuisine sont des sources intarissables de matière organique bon marché. On ne devrait jamais jeter les épluchures de légumes, les feuilles mortes, le gazon coupé, mais plutôt veiller à leur décomposition en faveur du jardin ou des plantes d'intérieur.

Les *résidus du bois*, petits copeaux et sciure, peuvent être incorporés au mélange selon une proportion qui ne doit pas dépasser 20 %.

Le *fumier* de vache, de mouton, de cheval est très efficace. Quant au fumier de cochon ou de poule, il est très fort et doit être utilisé avec précaution et à petite dose.

Les *composts* résultent de déchets végétaux décomposés, mêlés à de la terre, de la chaux et de l'azote. Ils peuvent constituer au moins le tiers du mélange final. Les composts domestiques tamisés et les composts commerciaux conviennent indifféremment.

La tourbe de sphaigne provient de la décomposition de la mousse appelée «sphaigne». Il s'agit d'une matière stérile à la base des mélanges commerciaux, en raison de ses qualités de rétention d'eau, de légèreté et d'acidité. Par contre, il faut beaucoup d'eau pour la maintenir humide.

La sphaigne pure est une mousse de couleur beige qui pousse naturellement dans les bois. Les fleuristes s'en servent volontiers comme base pour piquer les fleurs parce qu'elle retient l'eau. Aussi gagne-t-on à l'intégrer, quoique à faible dose, dans les mélanges.

Le charbon de bois agit comme antiseptique; il protège donc contre la pourriture et les odeurs. On s'en sert aussi comme élément de drainage dans les gros pots au lieu du gravier incidemment plus lourd.

L'écorce de conifères, commercialisée sous différents formats, sert surtout de décoration sur le dessus des pots, mais, en tant que matière organique, elle contribue à la légèreté de la terre. Cependant, elle dégage certains composés chimiques qui semblent avoir des effets toxiques sur les dracænas: les feuilles brûlent en leur présence.

Les mélanges

Avec l'expérience, chaque jardinier développe sa recette de base. Il modifie les proportions du mélange selon l'utilisation qu'il veut en faire et, avant tout, il vise le meilleur rendement. Il ne doit cependant pas perdre de vue que la plante aboutira dans une maison où les conditions de lumière et d'arrosage sont très différentes de celles qui prévalent en culture.

Pour ce qui a trait aux mélanges suggérés ci-après, l'ajout de charbon de bois et de cendre ne pourra être que profitable aux plantes.

Pour vous faciliter la tâche

Dans les mélanges suggérés, on pourra remplacer la terre de base, qui peut être une terre de jardin bien équilibrée, par un compost léger; la tourbe et le terreau, par du fumier déjà bien décomposé; le sable grossier, par la perlite ou les billes de styromousse.

Quelques mélanges de base

Voici un mélange satisfaisant pour la plupart des plantes d'intérieur: 1/3 de terre de base, 1/3 de tourbe, 1/3 de perlite.
Voici un mélange à l'européenne: 1/3 de terreau de feuilles, 1/3 de terre de base, 1/3 de sable grossier.

Mélanges spéciaux

Pour les violettes africaines et les membres de leur famille:
1/2 de tourbe, 1/2 de vermiculite;
ou 1/2 de tourbe, 1/4 de vermiculite, 1/4 de terre de base;
ou 1/2 de terreau de feuilles, 1/4 de tourbe, 1/4 de sable.
Pour les cactus:
2/3 de sable grossier, 1/3 de fumier décomposé;
ou 1/2 de sable, 1/4 de terre de base, 1/4 de tourbe ou de fumier.

Mélanges commerciaux

Attention! n'achetez pas n'importe quoi. Vérifiez toujours les ingrédients des mélanges tout préparés. Dans bien des cas, il faudra les améliorer avant le rempotage. Votre meilleure garantie reste encore le mélange maison de votre horticulteur préféré.

Pour réussir

À partir d'un mélange de base, le jardinier doit adapter les proportions à l'intensité lumineuse reçue par la plante:
— le terreau doit être très léger en lumière faible;
— il doit contenir plus d'eau en lumière forte.

Mises en garde

- *La terre des plantes que vous achetez* n'est pas toujours adaptée à leurs besoins. En Floride, la bonne terre est presque introuvable: on utilise de la terre de remblai, du sable sale ou des copeaux de bois. L'importation de la tourbe canadienne rendrait le coût des plantes exorbitant. Au Canada et aux États-Unis, on utilise parfois des mélanges de culture préparés par des compagnies spécialisées; généralement à base de tourbe, ils requièrent de fréquents ajouts d'engrais soluble. *Il est recommandé mais pas obligatoire* d'ajouter un tiers de compost au mélange pour éviter l'usage abusif d'engrais.

- Dans nos maisons où les conditions de culture sont délicates, ces mélanges sèchent généralement très vite. Il est recommandé de rempoter les plantes concernées, dès que le temps le permet (voir le chapitre «Le rempotage bien pensé») dans un mélange plus équilibré.

LES MAUVAISES TERRES

Certaines terres de base présentent de sérieux inconvénients.

- Dans les terres de culture, qui proviennent de champs de maïs traités aux désherbants, les tiges et les feuilles montrent des malformations, et leur croissance est compromise.

- Les terres de marais pourrissent dans l'eau; sèches, elles se transforment en poussière; humides, elles sont collantes comme de l'argile. N'achetez pas ce genre de «terre noire».

- Les terres d'excavation, très compactes et inertes, ne contiennent aucune des substances physiques ou chimiques nécessaires aux plantes.

Les orchidées (Miltonia) vivent accrochées aux arbres et n'ont besoin que de très peu de matière pour se nourrir.

L'ACIDITÉ

Définition

La majorité des plantes d'intérieur ont besoin d'une terre acide pour se développer normalement. L'acidité d'une terre est généralement proportionnelle à la quantité d'humus qu'elle contient.

On mesure l'acidité selon une échelle que l'on appelle pH (potentiel Hydrogène) variant de 0 (acide) à 14 (alcalin). La moyenne, déterminée par le chiffre «7», constitue la mesure de base, *neutre;* l'eau que le pH évalue à 7 est absolument pure. Un pH entre 5 et 6,5 convient à la plupart des plantes d'intérieur (voir la liste en annexe).

Les calathéas et membres de leur famille vivent dans une terre acide.

Symptômes

La plupart des horticulteurs emploient des mélanges dont le pH est adéquat. Dans certains cas pourtant, le pH est incorrect. On peut alors observer des «brûlures» sur le contour des feuilles qui finissent par se dessécher. De plus, la croissance de la plante se trouve ralentie. N'oublions pas que l'eau du robinet est riche en sels qui réduisent le pH (voir le chapitre «L'arrosage bien dosé»).

Remèdes

Avant d'apporter un correctif, consultez un horticulteur. Ce genre de problème reste assez rare et il peut aussi bien résulter d'un excès d'arrosage. Si le pH est trop élevé, ajoutez de la tourbe; s'il est trop bas, ajoutez un peu de chaux à la surface du mélange.

TRAVAILLER LA TERRE

Régulièrement, il est recommandé, mais pas obligatoire, de remuer un peu la terre de surface à la fois pour combler les creux laissés par l'arrosage précédent et pour aérer.

Deux ou trois fois par année, avec une fourchette ou un couteau, remuez la terre jusqu'à au moins la moitié de la profondeur du pot. Cela permet d'aérer plus profondément et de briser la terre que compactent les arrosages répétés. Au cours de cette opération, plusieurs petites racines seront sectionnées. Ce n'est pas grave, au contraire, elles vont se ramifier et se développer avec plus de vigueur.

Habitués au sable, les cactus adorent plonger leurs racines dans le compost ou le fumier (ici, Ferocactus).

RECETTE SIMPLE POUR STÉRILISER LA TERRE

Méthode

- Verser la quantité de terre désirée dans un récipient de 10 cm de hauteur.
- Ajouter de l'eau jusqu'à saturation mais sans créer de boue.
- Déposer au milieu une pomme de terre de 5 cm de diamètre.
- Mettre au four préchauffé à 175 °C.
- La terre est stérile quand la pomme de terre est cuite.
- Rajouter de l'eau en cours de «cuisson» si la terre semble se dessécher.

Utilisation

Graines, bactéries et insectes ont été détruits par la chaleur, y compris les bactéries qui transforment l'humus en sels minéraux. Voici donc quelques règles à suivre:

- utiliser une terre stérilisée pour semis et boutures;
- attendre au moins 3 semaines avant de s'en servir;
- utiliser la terre stérilisée comme base à vos mélanges.

POUR DES PLANTES EN BONNE SANTÉ

Le meilleur engrais pour une plante, c'est une bonne terre. Si celle-ci est bien équilibrée au point de vue physique (le drainage en particulier) et au point de vue chimique (de l'humus pour l'azote et l'acidité), vos plantes seront parfaitement à leur aise.

N'hésitez pas à demander les conseils d'un horticulteur. Pour devenir vous-même un «expert», il ne vous restera qu'à maîtriser la technique très simple du rempotage.

LE CHOIX DES POTS

Le rempotage est capital dans la culture des plantes. Il s'agit d'une technique très simple pour peu qu'on dispose d'une bonne terre et d'un pot adéquat. Toutefois, si les producteurs ont besoin du rempotage pour donner aux plantes des dimensions commerciales, il n'en est pas de même pour nous. N'oublions pas que rempoter une plante peut avoir des effets traumatisants et qu'il vaut mieux s'en abstenir autant que possible; vu les conditions de luminosité dont disposent nos maisons, la reprise risque d'être difficile et la plante peut passer le reste de son existence dans un état de faiblesse chronique. Il arrive tout de même qu'il faille s'astreindre au rempotage. Dans ce cas, il faut préparer un endroit particulièrement éclairé pour la convalescence de la plante et, bien sûr, choisir le pot avec soin.

LES POTS DE CULTURE

La plupart des plantes sont vendues, chez les fleuristes et les horticulteurs, dans des pots de plastique ou de terre cuite. Ils ont un rôle important à jouer dans le support des racines.

Qualités d'un pot adéquat

Un bon pot doit:

- être propre, c'est-à-dire exempt de traces d'insectes ou de maladies;
- favoriser le drainage grâce aux trous situés à la base, par où l'eau s'égoutte et l'air circule, permettant ainsi la respiration des racines et le bon fonctionnement des bactéries de l'humus;
- présenter les bonnes dimensions, c'est-à-dire, proportionnellement à la hauteur et à l'ampleur de la plante, être assez grand pour loger parfois des masses de racines, et assez petit pour empêcher l'accumulation d'eau en excès.

Caractéristiques des pots de terre cuite

- Les pots de terre cuite sont poreux, ce qui favorise la circulation de l'air et l'évaporation de l'eau, et, par ricochet, empêche le compactage de la terre.
- Ils s'harmonisent avec la plupart des styles décoratifs.
- Ils conviennent à toutes les cultures.
- Ils sont, par contre, lourds, coûteux et fragiles.
- Leur porosité provoque des taches d'eau sur les meubles non protégés.

Caratéristiques des pots de plastique

- Non poreux, les pots de plastique réclament une terre très légère et souple si l'on veut éviter l'accumulation d'eau et le compactage, puisque l'air ne pénètre que par la surface.

- Leur couleur et leur apparence s'harmonisent plus ou moins avec la décoration et ils ont tendance à se salir rapidement.

- Ils sont cependant faciles à manipuler, légers, bon marché et facilement lavables.

- Ils conviennent à toutes les cultures.

- Ils ne tachent pas les meubles et ils sont parfois carrés, parfois ronds.

Choisir un pot

Le choix d'un pot, ce n'est pas seulement une question de goût. Il n'est pas recommandé d'utiliser les deux matières indifféremment, car le plastique et la terre cuite ne réclament pas le même rythme d'arrosage.

LES POTS DÉCORATIFS

Exemples

Les pots décoratifs peuvent être en céramique, en bois, en cuivre, en laiton, en verre. Des contenants de plastique et de fibre de verre dépassant 20 cm servent également à la décoration.

Certains modèles comportent un système de drainage avec soucoupe intégrée, mais la plupart ne favorisent pas l'écoulement de l'eau excédentaire.

Les dracénas doivent souvent être empotés dans de gros pots à cause de leur hauteur. Mais leurs racines se contenteraient souvent d'un petit pot.

Pour une utilisation judicieuse

Pour empêcher l'eau de s'accumuler et de provoquer la pourriture de la terre ou l'asphyxie des racines, on recommande de déposer une couche de gravier, de brique concassée ou de charbon de bois au fond du contenant. Le charbon de bois a l'avantage d'être léger et antiseptique. Cette couche doit occuper au moins le un dizième *de la hauteur* totale du pot.

Les plantes de grande classe, comme l'*Episcia 'Pink brocade'* devraient être plantées dans des pots chic.

Compte tenu de la taille de la plante, le pot doit être aussi petit que possible pour faciliter la manipulation et l'arrosage.

Protéger les pots de cuivre, de laiton et de bois en tapissant l'intérieur avec une matière plastique. Procéder ensuite au rempotage de la même façon que pour un pot ordinaire.

D'autres conseils à ce sujet figurent au chapitre «L'arrosage».

Pots et cache-pot décoratifs

Tous les pots décoratifs peuvent être utilisés comme cache-pot, y compris ceux en osier et en rotin. Les plantes logent alors dans leur pot de culture sous lequel on glisse soit une soucoupe, soit un morceau de plastique.

Pour vous distinguer

En terme de décoration, il convient de souligner les points suivants:

- c'est la plante qui doit attirer l'attention;
- le pot est avant tout un récipient;
- il doit s'intégrer à la couleur du décor;
- les dimensions du pot et de la plante doivent être proportionnées.

LE REMPOTAGE BIEN PENSÉ

Le rempotage n'a souvent pour effet que de déranger les plantes, mais il peut aussi contribuer à les sortir d'un état de faiblesse ou à les guérir d'un stress. Dans les maisons où elles se développent lentement, les plantes n'exigent un rempotage qu'une fois tous les 2 ou 3 ans. Par contre, les petites plantes en pots de 6 à 12 cm doivent être rempotées dès que leur développement est suffisant: tout dépend de leur vigueur et de leur environnement (lumière, chaleur, soins).

LES BONNES RAISONS DE REMPOTER

- La terre est mauvaise et impropre (inerte, trop sablonneuse, trop lourde) à une croissance normale.

- Il y a plus de racines que de terre et la plante s'alimente mal; elle a besoin d'un apport de bonne terre pour continuer de croître.

- Le pot est trop petit, soit parce que les racines sont très développées, soit parce que la partie aérienne de la plante atteint des dimensions qui la rendent instable dans son pot actuel.

- On veut la plante dans un pot plus décoratif.

- Le pot est *trop grand* pour la guérison d'une plante dont les racines ont été abîmées par un excès d'eau (asphyxie) ou d'engrais, par des insectes, une maladie ou un accident, etc.

- Si les racines sortent du pot par les trous du fond, cela ne veut pas nécessairement dire qu'il faut rempoter. Vérifiez d'abord la motte de racines en sortant la plante du pot. Si les racines occupent plus de 70 % de la motte, le rempotage est recommandé.

ÉPOQUE DE L'ANNÉE

Parce qu'en mars, avril, mai et juin, la végétation est active (chaleur, longueur des jours, intensité lumineuse), c'est le moment idéal pour le rempotage, comme pour tous les autres travaux (engrais, taille, etc.).

Pour réussir

- Les plantes fraîchement rempotées doivent être placées pendant au moins 1 à 2 mois dans un endroit très bien éclairé.

- Les rempotages effectués à d'autres périodes de l'année peuvent très bien réussir si l'on prend soin de fournir aux plantes le maximum de lumière et si les premiers arrosages sont parcimonieux et légers.

LES ÉTAPES

- *Préparer la terre:* utiliser une terre humide, c'est-à-dire ni sèche, ni détrempée pour éviter le compactage.

- *Arroser les plantes* (sauf les cactus) la veille: racines, tiges et feuilles pleines d'eau résistent davantage et reprennent mieux.

- *Dépoter:* retourner la plante, frapper le bord du pot contre une table. La motte doit sortir d'elle-même.

- *N'enlever la vieille terre* que si elle est de mauvaise qualité.

- *Défaire la motte:* cette opération n'est obligatoire que si la terre est dure.

- *Tailler les racines* reste une opération facultative: les horticulteurs les taillent pour provoquer la pousse de jeunes racines nourricières. Elle s'effectue avec un couteau tranchant.

- *Drainer:* si le nouveau pot est dépourvu de trous, disposer le matériau de drainage (charbon, gravier, etc.) au fond du pot.

- *Verser de la terre* au fond du pot: le niveau supérieur de la vieille motte doit arriver à 1 ou 2 cm du rebord du nouveau pot. Ne pas tasser.

- *Placer la plante:* au milieu du pot, si elle est unique. Pour un rempotage multiple, réunir 3, 5, 7 plantes: un nombre impair produit toujours un meilleur effet.

- *Remplir le pot:* faire descendre de la terre entre la motte et la paroi du pot en tassant légèrement avec les doigts. Laisser un espace libre de 1 à 2 cm à la partie supérieure du pot pour permettre l'arrosage.

- *Tasser* les côtés et le dessus sans forcer: la terre doit rester ferme (élastique quand on la presse). Elle doit être en contact étroit avec les racines; plus celles-ci sont fines, plus on doit tasser. Ne pas laisser de «trous d'air», cela risque d'assécher les racines.

- *Arroser:* d'abord pour maintenir les racines actives grâce à l'humidité, ensuite pour faire descendre la terre et combler les trous d'air.

Le clivia fleurit mieux dans un petit pot, mais en terre riche.

LES ÉTAPES DU REMPOTAGE

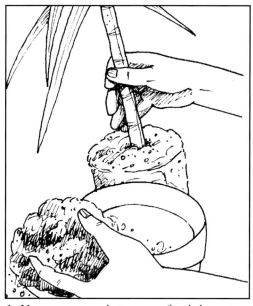

1. Verser un peu de terre au fond du pot.

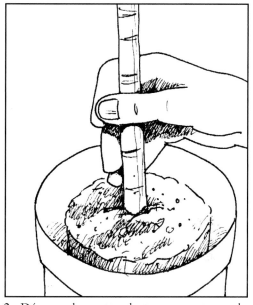

2. Déposer la motte de terre sans tasser la nouvelle terre.

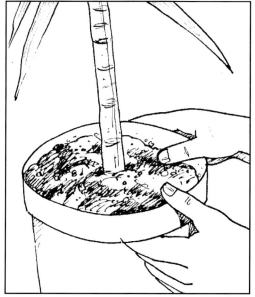

3. Remplir le pot de nouvelle terre. Tasser légèrement.

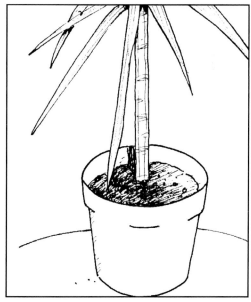

4. Laisser un espace pour arroser et arroser copieusement.

Mises en garde

- Pour les *cactus,* la motte de terre doit être absolument sèche; en effet, les racines de cactus ont du mal à cicatriser à l'humidité. Ne pas arroser pendant les 2 semaines qui suivent le rempotage.

- Pour les *fougères,* les *anthuriums* et toutes les plantes qui poussent à partir du centre, ne pas couvrir le cœur de la plante qui doit toujours dépasser le niveau de la terre, sous peine de dépérissement.

UNE MÉTHODE RAPIDE

Afin de limiter la fréquence des rempotages et, par conséquent, de réduire les traumatismes de la plante tout en évitant les abus d'engrais, il suffit d'enlever un peu de la vieille terre du dessus ou du dessous du pot sans déranger les racines de la motte, puis de disposer de la nouvelle terre enrichie de compost au fond du pot.

Pour éviter des problèmes dans les gros pots décoratifs

On a souvent tendance à loger les plantes hautes, les dracænas en particulier, dans de gros pots décoratifs. Ce n'est pas mauvais en soi, mais la quantité de terre est telle que l'eau d'arrosage, spécialement dans les pots sans drainage, s'élimine lentement au détriment des racines. Pour remédier à cet inconvénient, voici une méthode très efficace.

- Installer la plante dans un pot de terre cuite de la même grosseur que le pot de culture dans lequel elle se trouve.

- Poser le tout dans le pot décoratif muni d'un lit de charbon de bois ou de gravier.

- Remplir l'espace entre l'extérieur du pot de terre cuite et l'intérieur du pot décoratif avec un mélange de 70 % de tourbe et 30 % de sable ou avec de la vermiculite.

- Comme le pot de terre cuite est poreux, il vous suffira de maintenir humide la vermiculite ou la tourbe sablonneuse pour que la plante boive à satiété.

- Les risques de dommage aux racines sont quasi nuls.

LE REMPOTAGE RAPIDE (DANS LE MÊME POT)

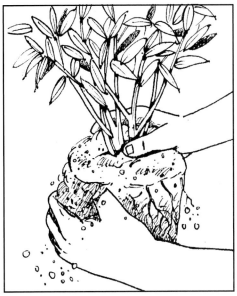

1. Réduire la motte de terre et de racines sur le dessus et le dessous.

2. Ajouter un peu de nouvelle terre dans le fond du pot.

3. Replacer la plante et remplir le pot de nouvelle terre. Tasser légèrement et arroser.

Le tour de la question

Le rempotage est d'autant moins fréquent que la terre est de bonne qualité. Cependant, plus les conditions lumineuses sont favorables, plus la plante se développe et plus les racines demandent de l'espace. Une bonne terre et un rempotage bien fait éliminent une grande part des problèmes d'arrosage.

Un abutilon sur tige doit être planté dans un gros pot pour garder son équilibre, mais pas plus large que 30 cm pour éviter des problèmes d'excès d'eau.

L'ARROSAGE
BIEN DOSÉ

Dans la nature, les plantes reçoivent l'eau des pluies qui nettoient les feuilles au passage. Selon les régions, les périodes de pluie intense et de sécheresse sont plus ou moins longues et, généralement, les plantes se sont parfaitement adaptées. Là où se prolonge la saison des pluies, elles portent de grandes feuilles et là où dominent les climats secs, on trouve plutôt des plantes à petites feuilles épaisses et luisantes ou, à la limite, réduites à des épines comme sur les cactus.

BESOINS EN EAU

Les plantes utilisent l'eau puisée par les racines, d'une part pour la photosynthèse (voir le chapitre «Question de lumière»), d'autre part pour la transpiration qui a lieu au niveau des stomates (voir croquis qui suit), minuscules petits trous à la surface des feuilles et surtout situés sur la face inférieure. Les produits de la photosynthèse sont en partie mis en réserve dans les fruits, les racines, les tiges (cactus) et les feuilles (plantes grasses). Toutes les cellules d'une plante en bonne santé doivent être gorgées d'eau.

VARIATION DE L'ARROSAGE

Quand la température et la lumière augmentent en intensité et en durée (en raison des saisons et de l'orientation), la photosynthèse et la transpiration augmentent dans les mêmes proportions, ce qui accélère du même coup la croissance, donc les besoins en eau de la plante. Un air sec, des courants d'air ou l'exposition au vent accélèrent le rythme de l'évaporation et accentuent d'autant le besoin en eau.

Rappelons que certains composants du sol retiennent l'eau (tourbe, terre argileuse, humus, vermiculite) plus que d'autres (sable grossier, perlite, terre sablonneuse).

Pour réussir

Plus le pot est gros, plus il contient d'eau. *Pour réussir l'arrosage, il est donc très important d'utiliser le plus petit pot possible, compte tenu de l'ampleur des racines et des dimensions de la partie aérienne de la plante.*
Voilà le moyen le plus sûr d'éviter les excès d'eau.

Plus la surface totale des feuilles est grande, plus la transpiration et l'évaporation sont actives. Une plante en bonne santé consomme plus d'eau qu'une plante faible ou malade. L'absorption d'eau est directement liée à l'état des racines (rythme de développement, grosseur, santé). Chaque espèce végétale a ses propres besoins.

LA QUALITÉ DE L'EAU

Il s'est dit beaucoup de choses à propos de la qualité de l'eau et de ses effets sur les plantes. En réalité, le problème n'est pas aussi grave qu'il y paraît. L'eau pure, c'est-à-dire provenant de la pluie ou de la neige fondue, n'est pas rare mais difficile à recueillir et à conserver. L'eau de source et l'eau de puits sont de très bonne qualité bien qu'elles contiennent souvent des sels minéraux (calcaire et autres) et soient aussi très froides.

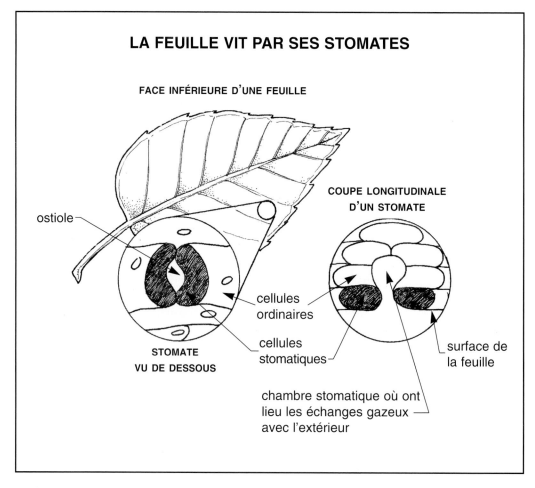

LA FEUILLE VIT PAR SES STOMATES

FACE INFÉRIEURE D'UNE FEUILLE

ostiole

COUPE LONGITUDINALE D'UN STOMATE

cellules ordinaires

STOMATE VU DE DESSOUS

cellules stomatiques

surface de la feuille

chambre stomatique où ont lieu les échanges gazeux avec l'extérieur

Voici quelques points à retenir.

- L'eau d'arrosage doit être tempérée, de préférence à la température de la pièce. L'eau du robinet n'est pas dangereuse si elle répond à cette condition, car l'eau froide peut causer un arrêt momentané de la croissance de la plante.

- Les sels contenus dans l'eau tendent à élever le pH (voir le chapitre «La terre, tuteur et nourrice»). On y remédie en ajoutant soit 5 ml (1 cuillerée à thé) de jus de citron, soit 2 ml (1/2 cuillerée à thé) de vinaigre par litre d'eau. La meilleure solution consiste cependant à ajouter régulièrement au fond du pot un peu de terre acide, riche en tourbe et en compost.

- Les sels s'accumulent en dépôts blanchâtres sur le dessus de la terre et autour des trous du pot. On les élimine à intervalles réguliers.

- Le chlore contenu dans l'eau de ville ne semble pas trop affecter le comportement des plantes. Pour l'éliminer, il suffit de laisser reposer l'eau à l'air libre pendant 24 heures.

- Le fluor semble plus nocif, surtout en contact avec la perlite. Il se produit alors une réaction chimique qui affecte les racines. Certaines espèces y sont plus sensibles; c'est le cas des dracænas, chlorophytums, palmiers et fougères, dont le bout des feuilles sèche plus rapidement.

FRÉQUENCE DES ARROSAGES

On n'arrose pas une plante selon une fréquence préétablie. On ne peut pas dire s'il faut l'arroser 1 fois par semaine ou toutes les 3 semaines (voir la rubrique «Exemple de fréquence»). *En somme, on arrose quand la plante a soif.* Par contre, il faut *vérifier l'état de la terre au moins une fois par semaine, été comme hiver,* tout comme on surveille le bien-être d'un enfant.

Comment savoir qu'une plante a soif?

Théoriquement, l'arrosage s'impose quand le fonctionnement de la plante (transpiration, évaporation, photosynthèse) requiert plus d'eau que la quantité dont disposent les racines.

Certaines plantes, comme le coleus, le chlorophytum, le lierre suédois, les tradescantias, *pâlissent* quand elles sont sèches. D'autres ramollissent ou s'effondrent carrément, mais elles se redressent aussitôt alimentées (spathiphyllum). Assoiffées, la plupart des plantes ont les feuilles qui jaunissent et tombent.

Si le feuillage d'une fougère sèche, il meurt; dès que les racines absorbent de l'eau, elles peuvent produire de nouvelles frondes (feuilles).

COMMENT SAVOIR SI LA TERRE EST SÈCHE?

Quand une motte est asséchée, le pot est plus léger. C'est en prenant l'habitude de soupeser le pot qu'on peut connaître les besoins en eau de la plante. D'autre part, s'il y a un espace entre la motte et les parois du pot, il est grand temps de baigner la plante (voir «Les méthodes d'arrosage et leurs avantages»).

Il ne suffit pas de constater que la terre est sèche et friable au toucher ni qu'elle a pâli. *Il faut vérifier le fond du pot, là où s'alimente la majorité des racines.* Enfoncez le doigt le plus loin possible et grattez un peu: si la terre est humide, attendez encore un peu. Ou bien enfoncez la pointe d'un crayon aussi profondément que possible: si la terre colle au crayon, elle est assez humide.

Si vous désirez vous procurer un appareil de mesure commercial, n'achetez pas de gadget mais un appareil à cadran. Essayez-le avant de le payer; il servira surtout à évaluer l'état de la terre des pots *de plus de 12 cm de hauteur.* Rappelez-vous que pour obtenir une lecture précise, il faut que la sonde soit en contact étroit avec la terre; il faut donc en faire une lecture instantanée.

Exemples de fréquence

En hiver, la plante consomme peu parce que la lumière est plus faible; attendez que la terre commence à sécher avant d'arroser. Ceci est valable pour toutes les plantes.

En été, la plante consomme plus, il n'est pas nécessaire d'attendre que la terre soit complètement sèche. Les plantes grasses et les cactus doivent être arrosés autant que les autres plantes. *Tenez compte cependant des conditions de luminosité.*

Suivant l'espèce, la grosseur du pot, la sorte de terre, la quantité d'eau à l'arrosage précédent, l'ensoleillement, la saison, la température, certaines plantes réclament 2 arrosages hebdomadaires; d'autres, un seul et un certain nombre se contenteront d'un arrosage toutes les 6 ou 8 semaines.

Ce n'est pas en arrosant qu'on apprend à arroser, mais *c'est en vérifiant souvent les besoins de la plante et ses réactions qu'on parvient à saisir le meilleur moment pour le faire.*

Quantité d'eau par arrosage

Un léger manque d'eau est toujours préférable à un excès. Il faut quand même plus qu'un verre d'eau pour arroser une motte qui repose dans un pot de 25 cm.

Les pépéromias *(P. incarna)* préfèrent une sécheresse passagère à une terre toujours humide.

Quelques règles

- Pour les pots munis de trous de drainage: arroser jusqu'à ce que l'eau remplisse la soucoupe. Attendre environ une heure, puis jeter l'excès d'eau qui stagne dans la soucoupe.
- Pour les pots sans trous, voir le paragraphe «Les arrosages spéciaux».
- La motte de racines doit être imbibée jusqu'au fond, pas juste en surface.
- Une terre à base d'argile demande plus d'eau qu'une terre à base de sable.

Exemples de quantité

Si on utilise un «bock» à bière comme mesure de base (1/2 litre),

- 1/2 verre suffit pour un pot de 10 cm de diamètre;
- 1 verre pour un pot de 15 cm;
- 2 verres pour un pot de 20 cm;
- 3 à 4 verres pour un pot de 25 cm.

Pour éviter des problèmes

Ne pas laisser d'eau stagner dans la soucoupe plus d'une heure après l'arrosage. Toute l'eau qui n'est pas remontée dans le pot au bout de cette période doit être éliminée.

LES MÉTHODES D'ARROSAGE ET LEURS AVANTAGES

La façon d'arroser a peu d'effets sur la santé des plantes, mais plus on imite la nature, plus l'arrosage est facile.

La douche

On utilise la douche en serre, soit avec l'eau courante, soit au moyen d'un arrosoir; ce système rapide et assez sûr a l'avantage de laver les feuilles du même coup. Un jet trop fort pourrait toutefois endommager les jeunes pousses.

Sur le dessus du pot

À l'aide d'un arrosoir ou d'un récipient muni d'un bec verseur, l'arrosage par le dessus du pot est sans doute la méthode la plus courante. Un contenant de 4 ou 5 litres convient à la plupart des besoins, sans être trop lourd.

Par le bas

L'eau versée dans la soucoupe monte par capillarité dans la terre. Ce système est très lent et ne permet pas toujours à la motte d'être imbibée jusqu'en haut. Par contre, pour les plantes dont les racines se concentrent au fond du pot (dracænas), cette méthode convient tout à fait.

Par le haut et par le bas

On arrose sur le dessus du pot jusqu'à ce que la soucoupe soit pleine. Si la terre est très sèche, elle prendra plus de temps à s'humecter; l'eau en surplus se chargera de l'imbiber en remontant dans le pot. Répéter au besoin.

Trempage

Si la terre est très sèche ou s'il y a un espace entre la terre et le pot, il convient d'immerger complètement le pot dans un seau ou un évier plein d'eau et ce, jusqu'à ce que des bulles d'air cessent d'émerger. Laisser égoutter avant de remettre la plante à sa place habituelle.

Mise en garde

Un manque d'eau suivi d'un excès d'eau aura des conséquences néfastes sur la santé de la plante et, naturellement, sur son apparence (dépérissement prématuré, chute des feuilles, arrêt de la croissance, chute des bourgeons, etc.).

À QUELLE HEURE ARROSER?

On arrose quand la plante a soif ou, plus exactement, quand on se rend compte qu'elle a besoin d'eau. Il est bien sûr conseillé d'arroser le matin quand la plante se réveille. Il n'y a cependant aucun inconvénient majeur à arroser le soir.

LES ARROSAGES SPÉCIAUX

Les pots sans trous de drainage

Tel que mentionné au chapitre «Le choix des pots», les pots dépourvus de trous doivent contenir une couche de matériau de drainage, gravier ou charbon de bois, dont l'épaisseur atteint au moins le dixième de la hauteur du pot. Dans ce cas, l'air ne pénètre dans la terre que par la surface, ce qui limite sa distribution dans la terre. Pour que les racines respirent convenablement, il faut éviter tout excès d'eau.

N'arrosez donc que lorsque la terre est partiellement sèche. Il restera toujours un peu d'eau dans la couche de drainage pour alimenter les racines. Les quantités approximatives sont les suivantes:

- pour les pots de 10 à 20 cm, environ les 2/3 des quantités mentionnées dans le paragraphe «Quantité d'eau par arrosage».
- pour les pots de 25 cm x 25 cm, 1 litre;
- pour les pots de 35 cm x 35 cm, 2 litres;
- ajouter 1 litre par 10 cm de profondeur de pot.

Faites des essais et mesurez l'humidité du sol le lendemain de l'arrosage pour vérifier que l'eau est bien parvenue aux racines du fond. Il se peut que vous n'ayez pas besoin d'arroser pendant plusieurs semaines.

Les pots à arrosage contrôlé

Il existe des pots dont le niveau d'eau de la soucoupe indique une humidité suffisante de la terre. Tant que les racines n'apparaissent pas dans la soucoupe, arrosez par le haut du pot comme d'habitude. Quand elles apparaissent, arrosez régulièrement par le haut et gardez toujours un peu d'eau dans la soucoupe pour empêcher les racines de sécher.

LES EFFETS DE L'ARROSAGE SUR LA TERRE

- Le jet d'eau creuse la surface de la terre: comblez le trou à chaque arrosage.
- À la longue la terre se tasse: il est nécessaire de la travailler pour favoriser l'aération (voir le chapitre «La terre, tuteur et nourrice»).

- L'excès d'eau emporte une faible partie des sels minéraux nécessaires à la plante. Ce phénomène de lessivage a cependant peu d'effets quand l'arrosage est contrôlé.
- Les sels contenus dans l'eau se déposent sur le dessus de la terre et autour des trous du pot, ce qui hausse le pH (voir le paragraphe «La qualité de l'eau»).

S'il perd ses feuilles quand il manque d'eau, le *Brassaia actinophylla* (schefflera) n'aime pas avoir les racines toujours humides.

SYMPTÔMES D'UN MANQUE D'EAU ET REMÈDES

Le manque d'eau n'est pas forcément relié à une terre sèche. Il se peut que les racines ne puissent pas puiser l'eau du sol (faiblesse, trop grande chaleur). Certaines plantes ont la particularité de tirer de l'eau d'une terre que nous croyons sèche ou dans laquelle d'autres plantes flétriraient. C'est le cas, à des degrés divers, des cactus, bien sûr, des scheffleras, des pothos, des pileas, des palmiers, des plantes grasses et de quelques autres.

Voici les symptômes d'un manque d'eau:

- Selon les espèces, les feuilles pâlissent ou ramollissent, flétrissent ou jaunissent. Celles des plantes grasses deviennent fripées.
- Dans les cas plus sérieux, les feuilles tombent et les jeunes pousses sèchent.

Certaines plantes à tiges dures, ligneuses, peuvent récupérer facilement après des périodes de sécheresse sévère. Celles qui ont le feuillage et les tiges tendres, sont pour ainsi dire condamnées. On peut toutefois essayer de les sauver en arrosant copieusement (attention aux excès), par trempage au besoin.

SYMPTÔMES D'UN EXCÈS D'EAU ET REMÈDES

Il y a excès d'eau quand les besoins de la plante sont inférieurs à l'approvisionnement, c'est-à-dire à la quantité d'eau dans la terre. Les besoins de la plante, rappelons-le, dépendent des conditions de température et de luminosité.

Mise en garde

Si les conditions de température et de luminosité sont plutôt faibles, des symptômes d'excès d'eau peuvent apparaître même si la terre n'est pas saturée. Enfin, lorsque tous les espaces réservés à l'air dans la terre sont pleins d'eau, les racines sont noyées, submergées et la plante est asphyxiée.

Les symptômes d'excès d'eau sont les suivants:

- la chute de feuilles vertes (ficus et schefflera en particulier), due au déséquilibre entre l'arrosage et la lumière (en termes de durée ou d'intensité);
- !a chute des feuilles jaunes;
- le noircissement des feuilles qui tombent;
- la chute de boutons floraux avant d'ouvrir;
- l'humidité du bas de la tige, au-dessus du niveau de la terre, sur environ 2 cm;
- l'apparition de champignons microscopiques sur le dessus de la terre;
- une odeur forte se dégageant de la terre;
- le dépérissement des jeunes pousses avant de sortir.

Pour vous faciliter la tâche

- Si l'excès est causé par un surplus d'eau dans le pot, le pencher presque à l'horizontale pendant quelques minutes pour égoutter. Répéter au besoin.
- Quelle que soit la raison de l'excès d'eau, déposer la plante dans un endroit chaud et bien éclairé pour activer la transpiration et l'évaporation. La plante récupérera plus vite, mais il faut quand même s'armer de patience.
- Tailler si certaines parties sont mortes (voir le chapitre «La taille»).
- Vérifier que la plante n'est pas dans un pot trop grand.

UN BRIN DE PRÉVENTION

Pour prendre un bon départ, il faut une terre légère et bien drainée. Cela permet d'éviter les surplus d'eau, problème majeur des amateurs de plantes d'intérieur. Dans tous les cas et pour éviter les erreurs, il est préférable d'arroser quand la terre est sèche ou presque. Ensuite, humectez bien la terre suivant les quantités proposées dans ce chapitre.

Si vous voyez que votre plante dépérit sans cesse, dépotez-la. Observez l'humidité de la terre et la santé des racines. Si celles-ci sont pourries ou très courtes, faites un rempotage dans un pot plus petit, mettez votre plante au soleil et abstenez-vous de lui donner de l'engrais jusqu'à ce qu'elle montre des signes de grande vigueur.

Le yucca supporte les sécheresses passagères. Pour éviter les excès d'eau, il doit être dans un pot peu profond ou dans peu de terre.

67

AÉRATION ET HUMIDITÉ DE L'AIR

Sous les cieux des tropiques, les vents se chargent d'assurer l'aération des plantes. La très forte humidité ambiante se trouve ainsi réduite, ce qui entrave le développement des maladies cryptogamiques comme la pourriture. Dans nos maisons, l'atmosphère pose des problèmes légèrement plus complexes mais sans inconvénients majeurs pour la vie des plantes.

POURQUOI FAUT-IL AÉRER?

Ce n'est pas seulement pour les plantes qu'il convient d'aérer, mais aussi pour notre propre bien-être, le bon état des meubles et des vêtements. L'air qui circule est toujours plus sain que l'air stagnant, comme en témoigne l'élévation du degré de pollution en ville quand il ne vente pas. Voici quelques raisons qui justifient le fait d'ouvrir les fenêtres en hiver et en été.

- En hiver, une maison très bien isolée contient beaucoup d'humidité.
- En hiver, l'air humide d'une douce journée adoucira l'air ambiant.
- Les odeurs n'ont aucun effet sur les plantes.
- Bien que les vapeurs de peinture n'affectent généralement pas les plantes, une bonne ventilation ne fera pas de tort.
- Si vous entreposez des fruits et des légumes au même endroit que vos plantes, les vapeurs éthyliques qu'ils dégagent risquent de causer des symptômes de dépérissement prématuré, parfois accompagné de plaies.

LES COURANTS D'AIR

Les courants d'air provoquent une sensation de fraîcheur à cause de l'évaporation d'eau sur l'épiderme. Ils ont le même effet sur les feuilles et les tiges dont ils risquent de dessécher les cellules. Il faut être prudent: encouragez la ventilation fréquente mais de courte durée et arrosez en conséquence.

Si vos plantes sont dehors en été, méfiez-vous du vent: leurs feuilles sont plus fragiles parce qu'elles ont poussé à l'intérieur.

L'HUMIDITÉ DE L'AIR

Les effets

Un air humide protège la plante contre les rayons du soleil, la chaleur et le vent, puisqu'il réduit la transpiration et l'évaporation dont les stomates sont responsables. Il limite également l'évaporation de l'eau du sol, ce qui réduit d'autant la fréquence des arrosages.

Les causes de variations

Plus l'air est chaud, plus il se dilate et peut contenir d'humidité. À l'inverse, un air froid contient moins de vapeur d'eau. Si nous le chauffons (en hiver), le degré d'humidité relative diminue et l'air paraît sec.

Les mesures

L'humidité relative mesurée par les hygromètres se chiffre en pourcentage:

- à moins de 40 %, l'ambiance est inconfortable; notre gorge, notre peau, les meubles et les plantes en souffrent;
- entre 40 et 60 %, notre bien-être et celui des plantes sont assurés;
- à plus de 60 %, l'atmosphère est très agréable pourvu que la température ne dépasse pas 25 à 28 °C.

L'AIR SEC DANS LES MAISONS

Causes secondaires

C'est surtout en chauffant de l'air froid qu'on provoque une sensation de sécheresse, mais d'autres facteurs s'ajoutent.

- L'air soufflé par les systèmes de chauffage est plus nocif pour le feuillage. *Le combustible utilisé (électricité, mazout, gaz, bois, etc.) n'a cependant aucune influence sur la sécheresse de l'air.*
- Les tapis et les rideaux absorbent l'humidité ambiante.
- Une maison mal isolée est plus sèche qu'une maison bien isolée.

Dangers d'un air sec

- L'air sec favorise la prolifération des insectes suceurs de sève (pucerons, araignées rouges, cochenilles).
- Il entraîne une évaporation excessive au niveau des feuilles. Il faut arroser plus et cela peut provoquer un dépérissement de la plante si la lumière est insuffisante ou le pot, trop gros.

Méthodes pour maintenir l'air humide autour des plantes

- Éloigner les plantes des dispositifs de chauffage.
- Aérer, l'hiver, par temps doux.
- Utiliser un humidificateur ou un échangeur d'air.
- Faire sécher le linge naturellement dans la maison.
- Faire bouillir 4 litres d'eau par pièce du logement pour hausser l'humidité relative de 10 % à 40 % et ce, 1 ou 2 fois par semaine.
- Faire couler l'eau chaude de la douche à raison de 1 minute par pièce (1 ou 2 fois par semaine).
- Améliorer l'isolation.
- Placer les plantes sur un plateau rempli de gravier ou de mousse de sphaigne constamment humide.
- Vaporiser (voir la rubrique suivante).
- Plus vous avez de plantes dans la maison, plus le degré d'humidité sera élevé grâce à la transpiration et à la respiration.

La vaporisation

Il apparaît nécessaire d'aborder spécifiquement la vaporisation dont on parle quelquefois à tort et à travers. Rappelons d'abord que les feuilles se protègent naturellement à l'aide d'une minuscule couche de vapeur d'eau.

L'eau vaporisée sur les feuilles sèche en quelque 30 minutes, ce qui ne suffit pas à hausser le taux d'humidité de l'air. *Pour que la vaporisation soit efficace, il faudrait répéter l'opération toutes les demi-heures!*

La vaporisation directe sur les feuilles présente plusieurs inconvénients: d'abord, elle risque de provoquer le brunissement ou la pourriture des feuillages fins, poilus et épais. En effet, l'eau y reste emprisonnée et favorise l'action du chlore et du fluor, et aussi des maladies. Ensuite, la poussière colle davantage sur les surfaces humides. Enfin, l'évaporation subséquente de l'eau, même tiède, abaisse la température à la surface des feuilles.

Pour vous faciliter la tâche

Vaporiser de l'eau dans l'air à raison d'un demi-litre par pièce environ 2 fois par semaine est plus efficace, plus durable et moins risqué que d'asperger directement le feuillage.

L'AIR HUMIDE DANS LES MAISONS

L'été, l'air humide présente peu d'inconvénient, sinon pour les plantes qui sont dans les endroits mal éclairés. En hiver, les excès d'humidité sont rares sauf dans les maisons très bien isolées.

Danger d'un air trop humide

Si l'air humide ne bouge pas, des risques de maladies fongiques peuvent — quoique rarement — se déclarer. Les plus importants méfaits guettent surtout les meubles et les vêtements.

Comment réduire l'humidité

Les seuls moyens vraiment efficaces de réduire l'humidité sont l'aération, la ventilation ou l'utilisation d'un déshumidificateur ou un échangeur d'air.

Mise en garde

L'air climatisé rafraîchit l'air et le contracte. Donc, l'air froid paraît moins humide, mais il l'est tout autant que l'air chaud non refroidi. Heureusement, plusieurs appareils de climatisation assainissent l'air en réduisant l'excès d'humidité.

LES ENGRAIS

Comme nous l'avons signalé dans le chapitre «La terre, tuteur et nourrice», le meilleur engrais reste l'humus qui produit les sels minéraux ensuite absorbés par les racines des plantes. Ainsi se nourrissent les plantes depuis des millions d'années, indépendamment des récents engrais artificiels; les éléments nutritifs sont dissous dans l'eau qui les véhicule à travers toute la plante à partir des racines.

Une terre sans humus serait désertique et l'humus apparaît dès qu'un être vivant (animal ou végétal) vient s'installer. En somme, l'humus nourrit la terre qui, à son tour, nourrit les plantes.

POURQUOI AJOUTER DES ENGRAIS?

Dans nos maisons, qui offrent des conditions plus ou moins adéquates, notamment du point de vue de la lumière, on ne saurait exiger des plantes qu'elles croissent autrement qu'au ralenti. Leur procurer des engrais équivaut à imposer des aliments riches à des sujets affaiblis.

Une bonne terre au rempotage peut s'appauvrir en raison de plusieurs facteurs.

• La plante se nourrit des éléments libérés par l'humus ou ajoutés par l'horticulteur. À la longue, ces éléments se trouvent «lessivés», c'est-à-dire entraînés vers le fond du pot par les arrosages, puis éliminés avec les excès d'eau.

Il peut s'écouler 1, 2 ou même 3 ans avant que ces deux phénomènes aboutissent à un état d'urgence. Alors il sera temps de rempoter avec de la terre neuve et riche.

Plus les conditions de lumière augmentent, plus la plante consomme et absorbe de l'eau, plus elle utilise d'éléments nutritifs et plus elle pousse. On peut alors considérer des apports d'engrais sans que cela ne soit vraiment une nécessité.

Pour vous distinguer

Si la terre est pauvre, la remplacer par un mélange plus riche et plus complet plutôt que d'opter tout de suite en faveur des engrais.

DIFFÉRENTES SORTES D'ENGRAIS

Définition

La majorité des engrais sont de nature inorganique; leur formule est composée de 3 chiffres qui représentent respectivement leur teneur en azote (N), en acide phosphorique (P) et en potasse (K).

Chacun des nombres exprime en pourcentage la proportion de ces éléments contenus à l'état pur dans l'engrais. *Plus les chiffres sont élevés, plus l'engrais coûte cher et plus la dose doit être réduite.*

Par exemple, les formules adaptées aux plantes vertes sont à peu près les suivantes: 1-1-1, 15-15-15, 20-20-20, 6-6-6, 15-10-15. Pour les plantes qui fleurissent, on trouvera plutôt: 1-2-2, 5-10-10, 5-10-15, 6-12-8, etc. En effet, un excès d'azote nuit à la formation des boutons floraux.

Les engrais inorganiques

- On recommande particulièrement les engrais inorganiques en poudre, donc solubles, dont l'action est rapide.
- Aussi très bons mais surtout destinés aux cultures en serre, il existe des engrais solubles à action lente.
- Des engrais destinés aux horticulteurs servent à combler les carences des terreaux.
- Les pastilles de vitamines semblent peu efficaces.
- Les bâtonnets insérés dans la terre ont des effets durables mais plutôt faibles.

- D'après certaines études, les engrais liquides en petits flacons coûtent beaucoup plus cher qu'ils ne donnent de résultats.

Les engrais organiques

- Les engrais à base d'algues marines sont de concentration faible; leur action lente ne présente aucun danger pour les plantes.
- Très riche en azote, l'émulsion de poisson peut être nocive à forte dose.
- La poudre d'os est un heureux complément riche en P et en K.

Les cissus peuvent vivre en lumière faible, mais pour recevoir de l'engrais, il leur faut de la lumière forte.

72

UTILISATION ET DANGERS DES ENGRAIS SOLUBLES

Mise en garde

Il est faux de penser que l'engrais rend les plantes plus belles. Loin d'être un remède miracle, l'engrais constitue un complément qui peut nuire à leur épanouissement pour peu qu'il soit en contradiction avec leur environnement: manque d'eau ou de lumière, excès d'eau, insectes.

Dose d'entretien

- N'appliquer que la moitié des doses prescrites par le fabricant.
- La majorité des plantes se contentent de 2 apports d'engrais par année: une fois en mars, quand les jours allongent et une fois en juillet, quand la végétation est active.

Dans de bonnes conditions, la croissance des lierres est accrue par l'application d'engrais.

À éviter

JAMAIS D'ENGRAIS EN HIVER: les plantes sont, pour la plupart, en repos végétatif.

Mise en garde

Dans les bureaux, les plantes sont presque exclusivement soumises à de la lumière artificielle. D'après les recherches, elles restent néanmoins sensibles aux changements de saison. Donc, la même dose et la même fréquence des apports d'engrais s'imposent.

Précautions

Ne jamais appliquer d'engrais sur une terre sèche. Arroser la terre d'un petit pot un jour avant; celle d'un gros pot, une semaine avant.

Dangers

À défaut de suivre ces recommandations, appliquer de l'engrais soluble sur des plantes trop privées de lumière risque d'endommager les racines: traumatisées, les plantes peuvent dépérir rapidement.

SYMPTÔMES DE CARENCE

Il est plutôt rare que les plantes d'intérieur présentent des symptômes de malnutrition. Cependant, comme la plupart des carences se manifestent par un jaunissement du feuillage, il n'est pas facile d'identifier rigoureusement la cause. Une chose est sûre: une terre de rempotage bien équilibrée et préparée par un horticulteur compétent évitera tous les risques de carence.

SYMPTÔMES D'EXCÈS

Un excès d'engrais dans le sol provoque la détérioration des racines et, par la suite, le dépérissement de la plante: jaunissement, ramollissement, brûlures, voire une fin prématurée.

On peut essayer de sauver la plante en rinçant la terre à l'eau tiède pour éliminer l'excès d'engrais. Au besoin, répéter l'opération 2 ou 3 fois.

LE MOT CLÉ: PRUDENCE

Jugez avec prudence si votre plante est mal nourrie. Accueillez avec prudence les conseils qui encouragent l'application d'engrais. Soyez prudent quand vous achetez de l'engrais et quand vous en appliquez.

Certes, les horticulteurs ajoutent de l'engrais pour améliorer la croissance et le développement des plantes, mais ils disposent de conditions idéales en termes de lumière, de température et d'alimentation en eau. De plus, ils visent une production abondante et rapide. Est-il nécessaire de les imiter?

Les plantes, telles les fittonias, se contentent d'une bonne terre pour produire leurs grandes feuilles colorées.

LES ACCIDENTS ET LES RÉPARATIONS

Il suffit de se promener dans la nature pour constater les nombreux accidents qui affectent la végétation: branches cassées, tronc fendu ou déraciné, chute prématurée des feuilles. Certains végétaux ne s'en remettent jamais, d'autres se cicatrisent naturellement, d'autres enfin poussent de travers. Bien que dans nos maisons, les plantes soient à l'abri du vent, des rafales ou de la grêle, des accidents peuvent survenir.

Mise en garde

Les conseils de taille recommandés ici ne concernent ni les palmiers, ni les fougères. Pour ces plantes, il convient d'éliminer les parties détruites et de faire confiance à la nature.

BLESSURES ET REMÈDES

1. **Une ou plusieurs feuilles sont déchirées.**

   Ce genre de blessure causée par la circulation des gens ou des animaux domestiques, ou par la chute de la plante, est sans gravité. Il suffit d'enlever la feuille avant qu'elle ne jaunisse ou dès que vous constatez la blessure.

2. **Une plaie apparaît sur l'écorce.**

   - **Plaie superficielle et partielle:** nettoyez le pourtour avec un couteau bien affûté et laissez sécher. La cicatrisation est rapide et la croissance de la plante n'est pas affectée.

   - **Plaie superficielle affectant le pourtour de la tige:** nettoyez comme précédemment et laissez sécher. La cicatrisation se fait bien, mais un affaiblissement général peut s'ensuivre et des feuilles situées sous la plaie peuvent disparaître.

   - **Plaie profonde de toutes les dimensions:** nettoyez avec un couteau pour bien circonscrire la plaie. Tuteurez la tige au besoin. Les tissus restants devraient se ressouder sans problème. Une certaine faiblesse continuera toujours cependant d'affecter la plante.

3. **Une tige se casse.**

   Coupez la tige 3 cm plus bas que la cassure avec un outil approprié. La plupart des plantes reformeront alors des tiges latérales dont la plus forte remplacera celle qui a disparu.

4. **La plante tombe et sort du pot.**

   - Sortez la plante de son pot en prenant soin de ne pas détruire davantage la motte.

RÉPARATION DES ACCIDENTS

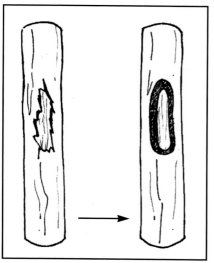

En cas de blessure superficielle, couper l'écorce en biseau avec un couteau ou un greffoir.

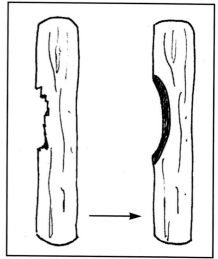

En cas de blessure profonde, faire une coupe nette de l'écorce et du bois jusqu'aux tissus sains.

- Si le pot est cassé, choisissez-en un autre légèrement plus petit, surtout si les racines sont abîmées.

- Coupez proprement l'extrémité des racines, avec un couteau ou un sécateur.

- Effectuez un rempotage et arrosez.

- Éliminez les feuilles cassées et blessées; coupez les tiges trop abîmées; faites un bon nettoyage.

- Dans tous les cas, la plante se rétablira vite si les conditions sont bonnes (lumière, chaleur, eau).

LES ACCIDENTS DUS À L'ENVIRONNEMENT

Le gel

- Remettez la plante dans des conditions normales et arrosez à l'eau tiède. Si les racines ont gelé, la plante n'est pas récupérable.

- Attendez au moins 3 heures, puis coupez et taillez les feuilles et les tiges noircies ou brunies par le froid. La plante peut paraître très dénudée, mais elle peut continuer à pousser. Seules les espèces qui se ramifient beaucoup peuvent retrouver leur apparence d'origine.

L'excès d'eau

- Éliminez l'excès d'eau.
- Placez la plante près d'un endroit chaud et clair pour activer l'évaporation.

En cas d'attaque grave

- Dépotez la plante, taillez les racines d'au moins le tiers, taillez les tiges d'au moins la moitié.
- Rempotez ensuite avec une terre légère dans un pot plus petit (4 à 8 cm de moins), et placez la plante à la lumière.

Le manque de lumière

Le manque de lumière va souvent de pair avec l'excès d'eau. Taillez les jeunes tiges faibles dès qu'elles apparaissent et gardez seulement les feuilles et les tiges initiales, plus vigoureuses.

COMMENT ORGANISER VOTRE HÔPITAL VÉGÉTAL

Conditions de base

Si vous voulez organiser un centre de rétablissement pour vos plantes malades, il vous faut avant tout *un bon éclairage:* fenêtre bien exposée, serre, lumière artificielle, etc. Il faut ensuite pouvoir maîtriser la température et l'arrosage. Tout doit être propre et bien entretenu.

Outillage requis:

- couteau tranchant;
- ciseaux forts ou sécateurs;
- tuteurs;
- ficelle;
- pots de toutes les dimensions;
- plusieurs mélanges de terre;

- des désinfectants, fongicides et insecticides, naturels de préférence;
- un peu d'engrais pour les plantes rétablies (facultatif).

À éviter

Ne pas demander à son horticulteur ou à son fleuriste de prendre chez lui les plantes malades. Les risques de voir ses propres plantes infectées sont très élevés, et il est clair qu'il ne peut pas en assumer les conséquences. D'autre part, il serait en droit d'imposer des frais d'entretien très élevés. En somme, acheter une autre plante serait davantage justifié.

LES CONDITIONS DE PROMPT RÉTABLISSEMENT

Toute plante traumatisée a besoin des meilleures conditions pour se remettre rapidement. Donnez-lui surtout beaucoup de lumière et apportez un soin particulier à l'arrosage. Faites-lui confiance et la vigueur de la nature vous étonnera.

LA PROPRETÉ

Les pluies qui nous rendent maussades ont de nombreux effets bénéfiques sur les plantes. En plus de donner aux racines l'eau dont elles ont besoin, elles lavent les tiges et les feuilles tout en abreuvant leurs cellules.

LA PROPRETÉ, UNE NÉCESSITÉ

Une plante sale est:

- poussiéreuse;
- tachée par les dépôts des produits de traitement;
- encombrée de feuilles ou de branches mortes;
- enduite des graisses de la cuisson des aliments.

La saleté sur les feuilles agit comme un écran qui peut nuire aux fonctions vitales de la plante: photosynthèse, respiration, transpiration.

En plus d'être disgracieuses, les feuilles et les branches mortes servent souvent de base au développement d'insectes et de maladies. Il faut donc les retirer immédiatement.

LA BONNE MANIÈRE DE NETTOYER

Le matériel

La meilleure méthode est *le nettoyage à sec* si la plante n'est pas trop sale ni grasse. On se sert alors d'un mouchoir, d'un tissu très doux ou d'un plumeau.

Pour vous faciliter la tâche

Pour les grandes surfaces ou pour de nombreuses plantes, se procurer un genre de «vadrouille» ou de «nénette» servant à dépoussiérer les voitures. La laver d'abord pour la débarrasser des produits à base de silicone dont elle est imprégnée. Voilà un outil efficace.

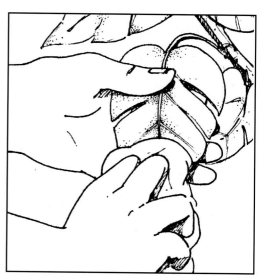

Nettoyer les feuilles avec un chiffon doux.

Les produits

Si vous voulez laver les feuilles, faites-le à l'eau claire de préférence. N'utilisez pas le lait dont la matière grasse bouche les stomates. Certains badigeonnent leurs plantes d'huiles blanches qui ont l'effet d'un insecticide (consulter à cet égard le chapitre «Les traitements»), sans nuire à la majorité des plantes. Un peu de savon mélangé à l'eau semble agir à la fois contre les insectes et contre la graisse déposée sur les feuilles.

À éviter

En aucun cas, on ne doit frotter les plantes dont les feuilles sont recouvertes d'un léger duvet ou de poils minuscules. Ce sont là des protections naturelles dont la plante ne peut se passer.

La terre et les pots

Dans la mesure où la surface de la terre, l'intérieur du pot et la soucoupe restent propres, les insectes et les maladies auront peu d'emprise. Toutes les feuilles tombées doivent être éliminées rapidement de même que les dépôts de sels.

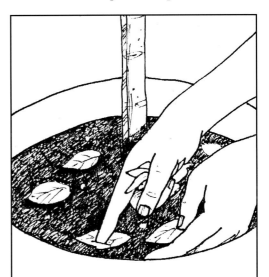

Éliminer toutes les feuilles mortes qui traînent dans le pot ou sur la plante.

Les lierres (ici *Hedera canariensis 'Gloire de Marengo'*) ont souvent des feuilles séchées qu'il faut éliminer.

79

LA TAILLE

Les plantes sont quand même formidables! Vous raccourcissez branches et racines et elles repoussent avec une énergie sans cesse renouvelée! Leurs soins de santé ne coûtent pas cher. Encore faut-il ne pas les couper n'importe où, n'importe comment.

POURQUOI TAILLER

La taille est un contrôle de la végétation inventé par l'homme pour seconder la nature qui n'a pas prévu ce genre de travail dans son emploi du temps déjà chargé. Pourtant, la taille rajeunit les plantes qui, sans cette opération, vieilliraient d'ennui; elle favorise la floraison des plus zélées d'entre elles et ravigote celles qui ont dépéri à cause de notre négligence ou de notre ignorance.

Tailler consiste à retrancher une portion de tige ou de racine à un endroit stratégique. Pour les plantes qui ne forment pas de tige, la taille équivaut à une division de la souche (fougères, chlorophytum, anthurium, asparagus, etc.).

La taille ne fait pas souffrir les plantes. Au contraire, elle correspond souvent pour elles à un grand bonheur. C'est l'occasion de montrer ce dont elles sont capables. Si leurs racines n'ont pas subi les affres d'un environnement déficient, il leur importera peu que vous les rameniez à l'état de chicot. Elles auront tôt fait de rééquilibrer leurs parties aériennes et souterraines pour leur propre harmonie.

QUAND TAILLER

La taille se pratique aussitôt que les jours rallongent, en début d'année. Taillez juste après leur floraison, les plantes dont les fleurs apparaissent sur les tiges de 2 ans et plus (hoya, stéphanotis).

LES SORTES DE TAILLE

La **taille de formation** contribue à la croissance de nouvelles tiges qui donnent à la plante un aspect plus fourni que si on la laissait croître à sa guise. On peut ainsi imposer gentiment la forme que l'on veut, les dimensions que l'on veut aux arbres et aux arbustes d'intérieur. C'est aussi une façon de se débarrasser des tiges frêles et de celles qui nuisent à l'harmonie de l'ensemble en se maintenant en vie.

La **taille de floraison** part du même principe, mais elle a pour but ultime la floraison des plantes dont les fleurs apparaissent à l'extrémité des nouvelles tiges.

La **taille de rajeunissement** est utilisée pour régénérer les plantes adultes et pour donner de la vigueur aux plantes ramollies par l'âge.

TAILLE DE FORMATION POUR PLANTES LIGNEUSES

Couper les jeunes tiges plus ou moins près de leur base selon que l'on veut seulement rendre la plante plus fournie, lui donner une forme ou une direction.

TAILLE DE FLORAISON POUR PLANTES ARBUSTIVES

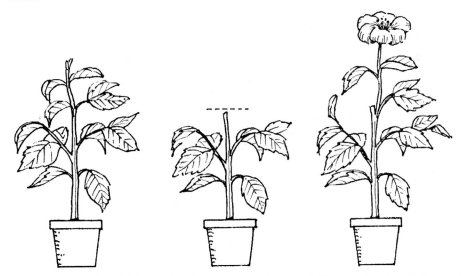

Couper les tiges en les réduisant des deux tiers ou de la moitié pour favoriser la formation de nouvelles pousses porteuses de fleurs.

La **taille-remède** consiste à enlever toutes les parties faibles, noircies, brunies, cassées ou détruites sur les plantes qui souffrent d'un quelconque malaise, le plus souvent causé par quelque déficience de l'environnement. On ne garde alors que les parties saines et intactes. Si une plante est gravement atteinte, on peut la ramener à des dimensions réduites, de 20 cm à 1 m de haut selon sa grosseur.

La **taille des racines**. En règle générale, quand la partie visible d'une plante se trouve diminuée par accident, le jardinier devrait en faire autant avec les racines. Raccourcir les racines permet la formation de nombreuses fines radicelles. On en profite alors pour rempoter la plante. Cette méthode est couramment utilisée dans la culture des bonsaïs.

OÙ COUPER

Le coup de sécateur est une opération qui émeut beaucoup les nouveaux jardiniers. Au-delà de l'émotion, savoir où couper et le faire sans trembler sont des opérations d'une importance capitale. Quand la tige à tailler est très ramifiée, coupez en biseau juste au-dessus d'une tige latérale. Quand elle est couverte de feuilles, coupez juste au-dessus de l'une d'entre elles. Ce sont les bourgeons invisibles situés à l'aisselle des feuilles qui, sous la poussée de la sève, vont croître au printemps et grandir à vue d'œil. Enfin, quand la branche est complètement nue, cherchez la cicatrice d'une feuille et taillez juste au-dessus: il y a là un bourgeon qui attend votre coup de sécateur pour se déployer vigoureusement.

CONSEILS SPÉCIFIQUES

Ne coupez jamais le bourgeon terminal ou la feuille terminale d'un **palmier,** quelle que soit l'espèce à laquelle il appartient: la plante s'arrête de pousser et dépérit rapidement.

Quand vous taillez les **ficus** ou les **euphorbes,** une sève laiteuse s'échappe des plaies. Pour endiguer l'hémorragie, un peu de courage: prenez juste un peu de terre humide entre le pouce et l'index et couvrez-en la plaie! Nettoyez le tout vingt-quatre heures plus tard.

Quand vous achetez une **plante au feuillage dense,** enlevez les branches et les feuilles qui pourraient nuire à la bonne pénétration de la lumière jusqu'au cœur de la plante. En vous chargeant vous-même de la disparition des feuilles encore vertes, vous éviterez que votre nouvelle acquisition laisse échapper n'importe quelles feuilles jaunes sur votre tapis.

Quand on taille des **ficus,** il faut toujours laisser une petite tige juste au-dessus de la coupe et quelques-unes le long de la branche taillée. La ramification est beaucoup plus facile et rapide que si la branche est complètement dégarnie.

N'ayez pas peur de tailler sévèrement, de temps en temps, **hibiscus** et **lauriers.** Ils n'en seront que plus florifères.

Pour qu'une plante sévèrement taillée repousse dans les meilleures conditions, rempotez-la dans une terre neuve, riche en compost, et placez-la le plus près possible d'une bonne source de lumière.

MINIATURISER LES PLANTES D'INTÉRIEUR

Pour beaucoup d'amateurs, les plantes miniatures font l'objet d'un passe-temps, d'une passion et quelquefois d'un investissement financier. Il est possible de miniaturiser certaines plantes d'intérieur, sans s'astreindre à des règles complexes et rigides.

DES PLANTES PARTICULIÈRES

Pour se prêter à la miniaturisation, la plante doit porter des tiges qui durcissent avec le temps, comme c'est le cas des arbres. En somme, il faut qu'on puisse la tailler, qu'elle ait un tronc solide et qu'elle produise facilement de nouvelles tiges. Parmi les espèces favorables, signalons les ficus, les polyscias, les scheffleras, les crassulas, l'hibiscus, le laurier, le podocarpus, le cuphéa et même l'oranger.

Bien qu'il soit préférable de choisir une plante d'environ 40 à 60 cm de hauteur, il est possible de ramener une plante de 1,50 m à 50 cm d'un simple coup de sécateur, par exemple dans le cas des polyscias.

UN BON ENVIRONNEMENT

Si la plante que vous désirez garder miniature arrive dans un petit pot, ne la délogez pas pendant au moins une année. Avant de la rempoter, sortez la motte de racines et, à l'aide d'un couteau tranchant, coupez une galette de terre et de racines à sa base, puis remettez un peu de bonne terre (proportions égales de terreau de rempotage, de compost et de vermiculite) dans le fond du nouveau pot.

La nature du pot importe peu, mais comme la plante miniature reste un objet de valeur et un élément vedette du décor, placez-la dans un pot de terre cuite beaucoup plus esthétique que le plastique.

Les polyscias peuvent être taillées sévèrement et produire rapidement des plantes miniatures *(Polyscia paniculata)*.

Enfin, comme les espèces que vous allez miniaturiser sont avides de lumière, ne vous lancez pas dans l'aventure sans disposer d'une fenêtre qui reçoit du soleil pendant au moins 2 ou 3 heures par jour.

TAILLER SANS PEUR

Si la plante choisie est déjà haute mais pas vieille, taillez le tronc à 40 ou 50 cm au-dessus du pot; les ficus à 70 ou 80 cm. Dans le but de rééquilibrer les énergies, sortez la motte du pot, coupez des tranches à la base et sur les côtés jusqu'à ce qu'elle soit réduite à 15 cm de diamètre. Installez ensuite votre plante dans un pot de 20 cm de diamètre en ajoutant le mélange de terre décrit précédemment. Arrosez.

Quelles que soient ses dimensions, la plante choisie produira rapidement de nouvelles pousses que vous devrez tailler chaque printemps. Si certaines pousses n'ajoutent rien à la beauté de la plante, coupez-les à la base. Ensuite, toujours par souci d'équilibre, raccourcissez d'environ un tiers les tiges les plus vigoureuses et des deux tiers les moins vigoureuses. Vous pouvez bouturer les sections enlevées.

C'est en taillant ainsi régulièrement que vous donnez à votre plante la forme et les dimensions souhaitées. N'ayez pas peur de faire des expériences.

Très volubile, le *Schefflera arboricola* se miniaturise facilement car il supporte bien les tailles répétées.

EN CAS D'ABSENCE PROLONGÉE OU DE DÉMÉNAGEMENT

Que faire avec vos plantes pendant les vacances? Les confierez-vous à la personne qui va nourrir le chat? Votre absence risque-t-elle de les perturber dangereusement? Que devez-vous craindre si vous déménagez? Voici qui devrait vous rassurer...

EN CAS D'ABSENCE

Tout dépend de la durée de l'absence. Si vous partez pour plus de 3 semaines, il est préférable de trouver quelqu'un qui prendra soin de vos plantes. Moins de 3 semaines? Vous pouvez les confier à quelqu'un, mais il y a d'autres solutions.

Qui s'occupe des plantes?

Votre voisin, votre sœur ou votre belle-mère, peu importe la personne pourvu que vous lui expliquiez exactement quoi faire: quantité d'eau et fréquence des arrosages. Ne transportez pas vos plantes dans une autre maison: le changement de routine est déjà suffisant sans les soumettre à un nouvel environnement et les exposer à quelque infestation par les insectes.

Si cette solution ne vous plaît pas et si vous êtes prêt à payer, votre fleuriste ou votre horticulteur les prendrait peut-être en pension, à moins qu'il craigne la prolifération d'insectes.

Autres solutions

Si vous voulez laisser les plantes toutes seules, quelques conditions s'imposent. Regroupez-les au même endroit, puis procédez comme suit:

- Réduisez la lumière: choisissez la pièce la moins éclairée, la salle de bain ou le sous-sol s'ils sont pourvus d'une fenêtre; fermez les rideaux s'ils sont légers.

- Abaissez la température: en été, une fenêtre au nord ne reçoit pas de soleil; en hiver, ajustez le thermostat de 12 à 15 °C.

- Pour diminuer les risques d'évaporation, évitez les courants d'air; fermez portes et fenêtres afin que le taux d'humidité ambiante reste élevé.

- Procurez aux plantes une quantité d'eau suffisante de l'une ou l'autre des façons suivantes:
  - déposez les pots dans la baignoire après y avoir fait couler 2 cm d'eau;
  - une fois la terre saturée, remplissez la soucoupe;

- reliez l'intérieur des pots à un réservoir d'eau à l'aide d'une mèche de coton;
- déposez les pots bien arrosés sur un lit de gravier rempli d'eau. Ceci est de loin la méthode la moins risquée.

Les fougères, comme le *Davalia trichomanoides* et bien d'autres, sont sensibles aux variations de l'entretien.

EN CAS DE DÉMÉNAGEMENT

Si vous avez un nombre impressionnant de plantes dont certaines sont encombrantes, vous pouvez demander aux fleuristes, horticulteurs et autres spécialistes d'emballer vos plantes. Certains offriront même de les livrer à votre nouveau domicile.

Ces opérations sont très délicates et longues, donc coûteuses, spécialement en hiver. Les déménageurs n'offrent aucune garantie pour le transport des plantes et leur camion est rarement chauffé. Si vous déménagez pendant la saison froide, procurez-vous tout au moins le matériel pertinent pour assurer toute la protection nécessaire à vos plantes.

Mises en garde

- Lorsque l'on confie l'entretien de ses plantes à quelqu'un qui ne s'y connaît pas, elles courent un grand risque.
- Si elles restent sans surveillance, gare aux pannes d'électricité en hiver; le gel ne pardonne pas.
- Les plantes dont on a réduit l'accès à la lumière tout en les gavant d'eau peuvent présenter soit des symptômes d'excès d'eau (destruction des racines, noircissement des feuilles, chute de feuilles vertes), soit d'un manque de lumière: tiges et feuilles rabougries, etc. Consulter les chapitres «L'arrosage bien dosé», «Question de lumière» et «La taille» pour savoir comment les remettre en état.

Les petites plantes (pots de 7 à 15 cm)

Chaque petite plante doit être enveloppée dans du papier journal ou un sac de papier spécial utilisé par les grossistes et les fleuristes. En hiver, doublez l'épaisseur de papier et fermez le haut à l'aide d'une agrafeuse.

Ensuite, placez les plantes les unes rapprochées des autres dans une boîte assez profonde pour être fermée; de cette façon, les pots ne s'entrechoqueront pas.

Les grosses plantes (pots de plus de 20 cm)

1. Les plantes qui ne dépassent pas 1,50 m dans un pot de 30 cm ou moins pourront être emballées dans un sac de papier spécial et placées dans une boîte qui assure une bonne rigidité à l'emballage.
2. Celles qui dépassent 1,50 m et dont le pot mesure 30 cm ou plus exigent un emballage particulier, à plus forte raison si elles logent dans un pot décoratif. Les spécialistes ont à leur disposition du carton ondulé et flexible dont ils entourent la plante et le pot. Le haut de l'emballage est ensuite fermé à l'aide d'un sac en papier. Évitez le plastique autant que possible.

Pour vous faciliter la tâche

Prendre soin, avant d'enfermer la plante dans le carton, de couvrir la terre avec du papier journal collé aux parois extérieures du pot. Ceci prévient tout risque de dépotage accidentel. Au besoin, on pourra indifféremment pencher ou coucher la plante ainsi emballée pendant le transport.

Les plantes à grandes feuilles, comme le *Dieffenbachia seguina 'Tropic Snow'*, doivent être emballées soigneusement pour éviter les blessures.

INSECTES ET MALADIES: FACTEURS DE PROLIFÉRATION

Étant donné la difficulté d'appliquer des traitements, les insectes et les maladies restent des ennemis redoutables pour les plantes. Malgré cela, ce sont surtout les conditions de luminosité et d'arrosage qui sont à l'origine de leur dépérissement.

Les maladies causées soit par des champignons microscopiques (crytogamiques), soit par des bactéries et des virus sont peu actives dans nos maisons; nous évoquerons les plus fréquentes. Quant aux insectes, ils trouvent chez nous des conditions de développement plutôt favorables. Si la lutte est entreprise à temps, on peut s'en débarrasser; encore faut-il identifier leur présence.

Les dracénas (ici *Dracæna deremensis 'Janet Craig'*) sont sensibles à l'anthracnose, mais peu d'insectes les dérangent.

Les produits de traitement les plus efficaces sont dangereux et seuls les horticulteurs sont autorisés à les appliquer. On peut quand même agir sans nuire à l'environnement ni à la santé.

Il est important de signaler que chaque plante et chaque espèce réagissent différemment aux maladies et aux insectes. De plus, une plante en bonne santé et vigoureuse résiste mieux qu'une plante affaiblie. Plus il y a de plantes au même endroit, plus les risques de prolifération sont élevés. Par contre, si les plantes ne sont pas porteuses d'insectes ou de maladies, ceux-ci ne pourront venir que de l'extérieur.

LES INSECTES ET AUTRES ANIMAUX NUISIBLES

De tout le règne animal, ce sont les insectes qui, durant des millions d'années, ont le moins évolué. Néanmoins, des mutations se sont produites et de nouvelles espèces sont apparues. Les insectes se nourrissent généralement de matières végétales et certains apprécient plus particulièrement les espèces agricoles et horticoles que nous cultivons. L'intensification des cultures a provoqué une concentration des colonies. C'est pourquoi nous passons tant de temps et dépensons tant d'argent pour la protection des récoltes. Est-il vraiment nécessaire de déployer les mêmes énergies pour nos quelques plantes d'intérieur?

LES INSECTES

Définition et mode de vie

Les insectes qui nous intéressent sont des êtres vivants, parfois microscopiques, qui se nourrissent de matière végétale: sève, feuilles, tiges ou racines. Ce faisant, ils nuisent aux différentes fonctions de la plante: photosynthèse, respiration, transpiration et, bien sûr, absorption par les racines.

Un insecte est d'autant plus nuisible qu'il se reproduit à une vitesse vertigineuse. Certaines femelles pondent plusieurs dizaines d'œufs. Environ 6 semaines plus tard, ils arrivent à maturité et les nouvelles femelles pondent à leur tour. Il n'est pas toujours nécessaire que les œufs soient fécondés pour produire une larve. La ponte se fait généralement dans des endroits bien protégés: intersection des tiges, écailles des bourgeons, crevasses dans l'écorce, sur les feuilles mortes, etc. C'est pourquoi la lutte contre les insectes est délicate: *il suffit d'un œuf non détruit pour que tout recommence.*

Les différentes sortes d'insectes

Ou bien les insectes percent des trous dans les feuilles ou dans les tiges, ou, parfois, dans les racines, ou bien ils aspirent la sève à l'aide d'une trompe.

Les insectes les moins fréquents

Relativement faciles à détruire, les insectes suivants sont donc assez rares en culture et presque inexistants dans les maisons.

LES MOUCHES BLANCHES OU ALEURODES

Ces mouches volent autour des plantes. Les larves et les adultes sont dangereux parce qu'ils dévorent le feuillage.

LES THRIPS

Les thrips s'attaquent aux jeunes pousses qui dépérissent rapidement: les tissus externes deviennent grisâtres. Les plantes à bois dur sont des hôtes privilégiés.

Les insectes les plus fréquents

LES PUCERONS

De couleur verte et parfois noire, les pucerons s'attaquent surtout aux tiges et aux feuilles tendres, c'est-à-dire aux jeunes pousses. Ils sont donc faciles à localiser. Les tiges noircissent et s'amollissent; les feuilles s'enroulent sur elles-mêmes. Les pucerons laissent derrière eux une substance collante et luisante. Nous verrons dans le chapitre «Les traitements» la façon de s'en débarrasser facilement.

LES ACARIENS

Les acariens, qui regroupent aussi les araignées minuscules, attaquent presque toujours la *face inférieure des feuilles*. C'est donc là qu'il faut aller voir dès que l'un ou l'autre des symptômes suivants apparaissent:

- la plante ralentit sa croissance;
- de petits points jaunes sur le feuillage et un reflet grisâtre plus ou moins prononcé apparaissent;
- les jeunes pousses dégénèrent prématurément;
- les feuilles tombent;

- des toiles d'araignées se forment en cas d'attaque grave.

Ces insectes sont très petits et laissent derrière eux des dépôts blanchâtres et de minuscules œufs vidés de leurs larves. Les femelles sont très fécondes et pondent non seulement sous les feuilles, mais à l'intersection des tiges et sur les feuilles mortes, d'où l'importance d'un nettoyage régulier.

LES COCHENILLES

Aussi appelées *kermès,* les cochenilles ressemblent à de minuscules coquillages habituellement bruns, ce qui les rend difficiles à observer. Elles se posent sur les feuilles et les tiges, et elles sont relativement faciles à détruire puisque les femelles, dépourvues de pattes et d'ailes, ne se déplacent pas. Ce sont les femelles qui ravagent les plantes. Elles sécrètent un liquide collant.

LES COCHENILLES FARINEUSES

Plus fréquentes que les précédentes, les cochenilles farineuses se reconnaissent à leur aspect cotonneux qui constitue une protection aussi bien pour les adultes que pour les œufs. Elles sont blanches, munies de pattes et elles se déplacent de plante en plante. Elles sécrètent un liquide cireux et injectent un poison dans la sève. Elles sont d'autant plus difficiles à détruire qu'elles logent dans les endroits les mieux protégés: intersection des tiges et des feuilles, dessous des feuilles, feuillage mort. Elles attaquent parfois les racines. Seules les femelles sont dangereuses.

Les crassulas sont parfois tourmentés par les cochenilles.

Ce 10 % d'incertitude laisse présager que, malgré les meilleurs programmes de protection, il n'est pas impossible de trouver des insectes dans les serres et dans les magasins. Bref, *il y a donc peu de chances que les plantes portent des insectes, mais cela peut arriver. Il suffit d'un seul œuf bien caché...*

Certains facteurs favorisent le développement des insectes:

- *La malpropreté:* si les feuilles et les branches mortes ne sont pas enlevées au fur et à mesure.
- *La sécheresse:* plus l'air ambiant est sec, plus les insectes ont besoin de s'abreuver; ils attaquent sévèrement et se multiplient rapidement.

Aussi, dans les serres très humides (70 à 90 %), et régulièrement traitées, les insectes et même leurs œufs vivants ont une activité réduite. Dès qu'une plante infestée est placée dans des conditions plus sèches (magasin, bureau, logement), il y a danger de prolifération rapide. Il faut agir à 2 niveaux: augmenter l'humidité de l'air et procéder à quelques traitements de sécurité.

Mise en garde

Les araignées et les cochenilles farineuses sont les insectes les plus difficiles à éliminer. Elles résistent à certains produits chimiques appliqués souvent. Ces insectes peuvent s'attaquer à une grande quantité de plantes mais elles ont des préférences, comme en témoignent les listes figurant à la fin de cet ouvrage.

Conditions d'infestation

Dans les serres et les champs de culture tropicaux, les insectes ne sont jamais maîtrisés à plus de 90 %. Autrement dit, les produits utilisés et les méthodes d'application ne sont pas infaillibles.

Mises en garde

- Lorsqu'on achète de nouvelles plantes, spécialement celles qui sont sensibles à un insecte ou à un autre, s'assurer qu'elles sont saines. Sinon, les traiter pour diminuer les risques.
- Si on touche à des plantes malades avec ses mains, ses

vêtements ou un instrument, éviter le contact immédiat avec les plantes saines.

- Une fois de plus, se rappeler que: *un œuf suffit pour provoquer un désastre.* Il est important de signaler qu'un œuf peut demeurer en état de vie ralentie pendant plusieurs mois. Il éclôt dès que l'ambiance devient propice.

Certains insectes se déplacent d'eux-mêmes, d'autres non, voici quelques détails à ce sujet:

- les pucerons volent et marchent;
- les acariens marchent;
- les cochenilles farineuses marchent;
- les *kermès* ne circulent pas, sauf les mâles.

AUTRES ANIMAUX NUISIBLES

On a déjà rencontré 11 espèces d'insectes et de larves dans un pot contenant une terre de qualité douteuse et importée de Floride. Incidemment, dans certaines pépinières américaines, la culture se fait en plein champ et tous les petits animaux ont beau jeu de grimper dans les pots et, semble-t-il, de s'y installer.

Si en recevant une plante chez vous, vous apercevez une ou plusieurs de ces amicales créatures, ne vous énervez pas! Elles sont presque toutes inoffensives, même si elles sont hideuses!

Celles qui risquent de causer quelques dégâts sont les suivantes:

- Les *milles-pattes* se nourrissent surtout de matière organique décomposée et, quelquefois, de jeunes racines.
- Les *escargots* et les *limaces* s'attaquent aux tissus tendres: on s'en débarrasse en couvrant la terre de coquilles d'œufs concassées.
- Les *larves de différents insectes* (vers blancs ou bruns) dévorent les jeunes racines.
- Les *nématodes* sont des parasites microscopiques qui logent dans les cellules des racines, et provoquent le dépérissement et la mort des plantes. Les normes gouvernementales sont très rigides quant à l'importation des plantes. Il est à peu près impossible que vos plantes soient porteuses de ces parasites.

DEGRÉ DE GRAVITÉ

À part les acariens et les cochenilles farineuses, peu de parasites sont vraiment redoutables. Quoi qu'il en soit, si vos plantes sont en bonne santé, propres et bien entretenues, elles résisteront d'autant mieux aux insectes et sortiront plus vite d'une éventuelle attaque. Le chapitre «Les traitements» explique comment éliminer les insectes et les animaux sur les plantes. *Si une plante est gravement atteinte, il vaut mieux la détruire et la remplacer plutôt que de la vaporiser de toutes sortes de produits nuisibles à la santé humaine.*

LES MALADIES

Comme nous l'avons déjà mentionné, les maladies causées par des insuffisances de l'environnement sont les plus graves; vient ensuite le problème des insectes. Quant aux maladies causées par des champignons microscopiques (fungus) ou par des bactéries (inoffensives envers les humains), elles affligent rarement les plantes adultes de nos maisons faute de conditions favorables à leur développement. Quand elles surviennent, on peut facilement s'en débarrasser.

DÉFINITION

Les bactéries et les champignons parasites des plantes sont invisibles à l'œil nu. Ils se développent et se multiplient aux dépens des cellules vivantes des feuilles, des tiges et des racines, provoquant ainsi des désordres profonds dans les fonctions vitales (photosynthèse, respiration, absorption). Ils se propagent d'une plante à l'autre soit dans l'air, soit par contact.

MALADIES LES PLUS COURANTES

L'anthracnose

Causée par un champignon, l'anthracnose se manifeste entre autres sur les dracænas et les arbres à bois durs (ficus). Les feuilles se dessèchent à partir de l'extérieur et une large bande jaune apparaît autour des zones attaquées. Les branches noircissent et des chancres parfois profonds se forment.

La rouille

La rouille attaque spécialement les aralias, les dracænas et les palmiers sous forme de petites taches brunes, rondes, bordées d'une auréole jaune. Elle apparaît et disparaît souvent au gré des variations des conditions ambiantes. Le meilleur moyen de s'en débarrasser est la taille sélective des parties atteintes, suivie d'un traitement fongicide.

Le mildiou

S'attaquant surtout aux espèces à feuillage tendre ou très fin (asparagus), le mildiou se caractérise par un dépôt blanchâtre et poudreux et se développe à la faveur d'une humidité très élevée (en serre, par exemple).

La fonte des semis

Des champignons (fusarium, phytophtora, rhizoctonia ou pythium) détruisent les plantes fragiles et tendres dès qu'elles sortent de la graine. On a donc intérêt à utiliser pour les semis une *terre stérilisée* ou traitée avec un fongicide.

Notons également que, à la suite d'arrosages excessifs, ces mêmes champignons peuvent faire des ravages assez importants sur les philodendrons, les pothos, les pépéromias et les autres plantes à tiges tendres et riches en eau.

Les maladies bactériennes

Bien qu'on en compte plusieurs variétés, la seule maladie bactérienne notoire concernant les plantes vertes cause la pourriture du collet (partie très courte qui relie la tige et la racine). Elle provoque la cassure des plantes à tiges tendres au ras du sol, le dieffenbachia par exemple, un peu comme les champignons mentionnés précédemment. Il est peu probable qu'on puisse récupérer les plantes attaquées.

CONDITIONS DE PROLIFÉRATION

Les maladies cryptogamiques et bactériennes se développent d'autant plus rapidement que l'atmosphère est chaude et humide. Une intense luminosité ne semble pas avoir d'influence notable et le manque de lumière ne les arrête pas. Certaines maladies se multiplient même à basse température. Plus les plantes sont rapprochées, plus la maladie tend à se propager facilement.

Une bonne aération et une propreté de tous les instants (pas de débris végétaux qui traînent) sont les meilleurs moyens d'éviter l'apparition des maladies. Si toutefois l'une ou l'autre devait se manifester, reportez-vous au chapitre «Les traitements» pour connaître les moyens de vous en débarrasser.

NATURE ET TECHNOLOGIE

Outre les champignons et les bactéries nuisibles, il en existe qui collaborent avec l'horticulteur en faveur de la nature. Comme nous l'avons vu dans le chapitre «La terre, tuteur et nourrice», les bactéries du sol contribuent à la transformation de la matière organique morte en humus, puis en sels minéraux directement assimilables par les racines.

L'horticulture d'avant-garde utilise même certains champignons qui s'attaquent aux insectes. En les vaporisant sur les parasites des plantes et des cultures, on maîtrise mieux les insectes nuisibles sans avoir recours aux produits dangereux qui restent néanmoins le moyen le plus radical de protéger les cultures. Cependant, au fur et à mesure qu'on découvre la gravité des problèmes de pollution, on oriente la recherche vers les moyens de lutte les plus naturels. C'est donc en travaillant en étroite collaboration avec la nature elle-même que l'humanité améliore la qualité de son environnement.

Les polyscias sont sensibles à la rouille quand les conditions d'entretien sont déficientes.

LES TRAITEMENTS

Dans la nature, des lois précises maintiennent l'équilibre des forces entre prédateurs et victimes aussi bien dans le règne végétal que dans le règne animal; ces lois sont fondées sur les processus de l'évolution et de la survie. Dès que l'homme intervient, l'équilibre tend à se rompre. Les ennemis des plantes se répandent alors au hasard des cultures. Importations et exportations favorisent leur dissémination et nous voilà contraints d'utiliser des produits de traitement.

En serre, les horticulteurs établissent un calendrier de traitements soit par pulvérisation, soit par fumigation (fumée insecticide qui a l'avantage de s'infiltrer partout). Autant que possible, ils essaient de garder les plantes, les tables, les serres et le sol exempts de toute infestation. Ils utilisent souvent des produits inorganiques dont certains sont dangereux à court terme. De plus en plus, les horticulteurs essaient, cependant, de faire appel aux produits naturels. Leurs efforts sont d'autant mieux récompensés qu'ils maintiennent un haut niveau de propreté.

LES PRODUITS INORGANIQUES

En agriculture et en horticulture, les produits chimiques sont les plus courants parce que, dans l'état actuel des connaissances, ce sont les plus efficaces. Ces produits, en particulier les insecticides, ont le désavantage d'être toxiques pour les animaux et les êtres humains; *cependant,* *cette toxicité est temporaire*. Des règlements sévères en limitent l'utilisation.

Les insecticides

Les insecticides agissent soit par contact en détruisant les cellules externes de l'insecte, soit en se mélangeant à la sève que celui-ci absorbe. L'achat des produits les plus dangereux est interdit au public. Les produits que l'amateur peut se procurer chez les fleuristes, les horticulteurs ou dans les jardineries sont variés; on trouve des mélanges prêts à l'emploi, c'est-à-dire correctement dosés.

Ces préparations sont plus ou moins efficaces contre les acariens et les cochenilles, mais elles éliminent facilement les pucerons. Bien lire l'étiquette avant usage (voir la rubrique «Méthodes d'application des produits inorganiques»).

Les fongicides

Le *captan* est sans doute le plus répandu des fongicides, car son action polyvalente par contact réussit à circonscrire les rares maladies des plantes d'intérieur. Il est vendu sous forme de poudre.

Le *benlate* a des effets systémiques par le truchement de la sève. Il est très efficace contre la plupart des maladies. Il est commercialisé en poudre.

Autres pesticides

Pour se débarrasser des animaux désagréables qui logent dans la terre, y compris les mouches, on se sert du bon vieux *chlordane* qui est très efficace.

LES PRODUITS NATURELS

De plus en plus, l'amateur soucieux de protéger son environnement va recourir aux produits naturels de lutte contre les ennemis des plantes. Bien qu'il en existe une grande variété, on a tendance à les sous-estimer.

Les insecticides

LES HUILES BLANCHES MINÉRALES

Utilisées depuis très longtemps par les spécialistes, les huiles minérales agissent en bloquant le système de respiration cutanée des insectes. Elles ont des effets secondaires sur certaines plantes qui présentent alors des symptômes de brûlure. C'est le cas des dracænas, des palmiers, des fougères et de toutes les plantes à feuillage fin (asparagus), poilu (gynura, cyanotis) ou riche en eau (pépéromia). On applique ces huiles après les avoir mélangées avec de l'eau.

LA NICOTINE

Contenue dans le tabac, la nicotine reste un insecticide utile. Même si son action n'est pas très puissante, elle est assez efficace pour détruire les pucerons. Faites vous-même votre mélange: laissez tremper pendant 24 heures 4 cigarettes par litre d'eau, puis vaporisez directement sur les insectes.

LA POUDRE DE SILICE

Appelée aussi pyrèthre, la poudre de silice agit par destruction physique. En effet, chaque particule de silice (le sable en est composé) comporte des arêtes pointues qui pénètrent dans la chair des insectes.

L'ALCOOL

L'alcool de pharmacie, utilisé avec précaution, peut détruire les cochenilles farineuses. On applique un *traitement local* curatif à l'aide d'un pinceau ou d'une brosse à dents en prenant soin d'éliminer toute trace d'insectes et en évitant de répandre partout le cocon blanc qui les protège. Ce cocon peut contenir des œufs.

LE SAVON

Le savon demeure sans doute l'un des insecticides naturels les plus méconnus. La plupart des savons, hormis les détergents, ont une action insecticide. Grâce à la recherche, on a récemment commercialisé des savons réservés à cette fin. Vous pouvez vous en procurer ou bien suivre la méthode suivante qui, malgré son caractère insolite, convient particulièrement aux plantes de 1 m à 1,80 m de hauteur:

- Remplissez la baignoire d'eau tiède comme pour prendre un bain.
- Versez-y une dose normale d'un produit moussant.
- Prenez un bain en ayant soin de bien faire mousser la savonnette, de préférence sans parfum.
- Après être sorti du bain, trempez pendant environ 2 minutes les tiges et les feuilles des plantes malades en retournant la plante à l'envers. Pour empêcher la terre de se répandre dans l'eau, couvrez-la de papier journal.
- Retirez la plante et secouez-la un peu.
- Renouvelez le traitement tous les 5 jours pendant 20 jours.

Dans les bureaux où l'utilisation d'insecticides conventionnels est interdite, les spécialistes lavent les plantes avec des solutions d'eau savonneuse. Ceci permet entre autres de maîtriser les acariens. Dans le cas des cochenilles, il faut préalablement se débarrasser manuellement de la matière blanche qui les entoure.

Les fongicides

On trouve sur le marché des produits à base de cuivre, de zinc ou de soufre qui viennent à bout de la plupart des maladies.

On recourt volontiers au soufre pour:
- protéger les boutures contre les risques de pourriture;
- désinfecter le dessous des tables de culture dans les serres.

FRÉQUENCE DES TRAITEMENTS

À l'intérieur, y compris dans les serres, le cycle de reproduction des insectes et des champignons n'est pas soumis aux changements de saison. Si la plante entre chez vous sans trace d'insectes ou de maladies, il n'est pas nécessaire d'appliquer des traitements préventifs, à moins qu'elle n'ait été en contact avec un sujet infesté.

Dès qu'on aperçoit les symptômes d'une attaque, on applique les traitements quels qu'ils soient, à raison *d'une fois tous les 5 jours pendant 3 semaines.*

Pendant les 2 mois qui suivent, il est nécessaire de bien surveiller les possibilités de rechute. Dans ce cas, on recommence le cycle de traitement.

Brassaia actinophylla 'Variegata' (chimère génétique). Quelle que soit la plante, les traitements doivent être doux.

MÉTHODE D'APPLICATION DES PRODUITS INORGANIQUES

- Mélangez le produit avec de l'eau dans les proportions indiquées sur l'étiquette.
- Versez le contenu dans un vaporisateur de 1 litre.
- Aspergez la plante en prenant soin:
  - de bien la mouiller, c'est-à-dire jusqu'à ce que l'eau ruisselle partout;
  - d'atteindre le dessous des feuilles, puisque, là où la chair est tendre, les insectes sont gourmands;
  - de viser surtout chaque intersection des tiges et des feuilles.

LES PRÉCAUTIONS INDISPENSABLES

Il est vivement recommandé de n'utiliser un produit toxique qu'une fois que certaines conditions sont remplies, dont voici un aperçu.

- Toutes les autres méthodes ont été inefficaces.
- Avoir lu attentivement *l'étiquette* et *le mode d'emploi*.
- S'isoler dans un endroit bien aéré.
- Ne pas fumer, boire ou manger.
- Enfiler des gants et se protéger le visage.

ATTENTION: Il faut absolument garder tous les flacons hors de la portée des enfants.

Chamædorea seifritzii. Les palmiers attrapent tout ce qui passe et doivent être traités à la moindre alerte.

POUR SAUVER UNE PLANTE MALADE

Si une de vos plantes à tiges dures et ligneuses est infestée d'insectes que vous n'arrivez pas à détruire, vous pouvez la tailler à quelques centimètres du sol. Nettoyez et désinfectez ce qui reste de tiges ou de tronc, puis placez la plante dans de bonnes conditions de lumière et d'arrosage. Rempotez-la dans un pot plus petit au besoin en réduisant de 30 % la motte de racines. Vous serez très fier quand votre plante malade se mettra à produire de nouvelles pousses vigoureuses et saines.

UN PEU D'ÉCOLOGIE

Manifestement, les amateurs de plantes aiment la nature et veulent la conserver aussi propre et saine que possible. Quand on parle d'environnement et d'écologie, on évoque évidemment la nature, et la nature comprend aussi le genre humain, c'est-à-dire *nous*. Protéger la nature équivaut donc à *nous protéger nous-mêmes*.

Comment contribuer à la protection de notre univers tout en soignant les plantes?

- D'abord, renoncer à tout produit en aérosol dont le gaz atteignant les hautes couches de l'atmosphère détruit l'ozone. L'ozone est un autre gaz très léger, proche de l'oxygène, qui fait écran aux redoutables rayons ultraviolets émanant du soleil et qui donne au ciel sa couleur bleue. Protéger la couche d'ozone, c'est une question de *vie ou de mort* pour l'humanité.

- Dans le choix des produits de traitement, favoriser autant que possible les plus écologiques, c'est-à-dire les produits naturels, quitte à perdre une plante trop malade.

Pour éviter les problèmes d'insecte, on choisit des plantes qui les attirent peu; ici une pléomèle.

DEUXIÈME PARTIE

Multiplier les plantes

La multiplication des plantes fait la joie des jardiniers qui disposent à cet égard de plusieurs techniques. Parmi celles-ci, le semis reste la plus simple mais non la plus facile: il faut d'abord trouver les graines (ou les spores s'il s'agit de fougères), car il est peu probable que nos plantes en produisent à l'intérieur; ensuite, plusieurs semaines, voire plusieurs mois peuvent s'écouler entre le semis et la germination, ce qui risque de désespérer le plus patient des jardiniers; enfin, le soin des jeunes semis et le repiquage constituent des opérations fort délicates. Nous examinerons donc des méthodes plus sûres et plus rapides.

Le crassula arborescent se bouture facilement dans un terreau composé de sable et de compost.

LE BOUTURAGE

Le bouturage consiste à prélever des portions de plantes sur lesquelles on provoquera la formation de racines dans les plus brefs délais. Un certain nombre de plantes peuvent être bouturées de plusieurs façons. La seule technique dont nous ne parlerons pas dans ce chapitre est le bouturage dans l'eau: les racines ainsi produites ne disposent pas du support normal de la terre ni de ses éléments nutritifs, ce qui rend les chances de reprise précaires au moment du rempotage. La technique elle-même n'est pas mauvaise, mais il y en a de meilleures.

CONDITIONS GÉNÉRALES DE RÉUSSITE

1. Une bonne humidité

Quand on sépare une portion de tige ou une feuille d'une plante, elle est privée de l'alimentation en eau qui la rendait ferme et vigoureuse. Il importe donc de réduire au maximum l'évaporation et d'obtenir des racines absorbantes avant le dessèchement. Voici plusieurs étapes qui devraient, théoriquement, être combinées.

- Enlever les feuilles de la base de la bouture s'il y en a.

- S'il y a lieu, réduire de moitié les feuilles restantes à l'aide d'une bonne paire de ciseaux.

- Bien arroser le substrat dans lequel les boutures sont insérées.

- Recouvrir hermétiquement les boutures (même celles d'un cactus) et leur récipient avec du plastique transparent ou une vitre.

- Ne pas placer le plat de boutures au soleil.

2. Un bon substrat

On appelle substrat un milieu solide dans lequel on plante les boutures. Il doit être très léger, rester humide sans excès et favoriser une ramification maximum des racines.

Voici quelques exemples de substrats. Le jardinier les expérimentera pour savoir celui qui convient le mieux à ses plantes:

- 1/2 sable, 1/2 tourbe;
- 2/3 sable, 1/3 compost;
- 1/2 sable, 1/2 terreau de rempotage commercial;
- vermiculite pure;
- 1/2 vermiculite, 1/2 tourbe;
- 1/2 vermiculite, 1/2 terreau de rempotage commercial.

SIGNIFICATION DES SYMBOLES

Nature de la plante

 Plante à fleurs

 Plante qui pousse en touffe

 Plante suspendue

 Plante qui pousse en hauteur

Lumière

 Lumière forte à très forte, avec ou sans soleil direct

 Lumière forte tamisée

 Supporte une lumière réduite par des écrans.

 Supporte la lumière faible.

Arrosage

 Laisser sécher la terre entre les arrosages en hiver ou en lumière faible.

 Laisser sécher 60 % du volume de terre entre les arrosages, surtout en hiver ou en lumière faible.

 Laisser sécher 20 % du volume de terre entre les arrosages, surtout en hiver et en lumière forte.

 Garder la terre légèrement humide en été et en lumière forte.

sécateur, un couteau ou un
, effectuer une coupe nette et
Une paire de ciseaux bien af-
nvient pour des tiges minces
.

éussir

limiter les risques de
riture, il faut laisser sécher
se des boutures de cactus
ntia surtout) avant de les
er dans le substrat. Poser
boutures à plat sur une
re de bois dans un en-
clair et sec, pendant
ques jours.

une forte luminosité, mais de
nce sans soleil.

nir une température de 18 à

commandé mais pas obligatoire
per la base des boutures dans
udre d'hormone d'enracine-
vant de les placer dans le sub-
l existe une poudre pour les
nolles, herbacées; une autre
s tiges dures, ligneuses; une
pour les tiges intermédiaires,
erbacées.

ter le substrat à l'avance pour
les arrosages subséquents.

3. Un

La seu
pient
faut le
élimin
pourra

Plateau
mieux
porte
racines
et bas
par ex
pour u
le dian

4. Au

• L
q
d
p
• P
vi
a
fa
• A
h

BOUTURAGE DE TÊTE

Utilisé *pour toutes les plantes* sauf les bromélias, les cactus, les fougères, les orchidées et les palmiers, le bouturage de tête tient compte du fait que le bourgeon terminal d'une tige principale ou latérale est plus vigoureux que les bourgeons latéraux.

La technique

- Prélever des boutures de 5 à 15 cm de longueur. Plus la tige est grosse et vigoureuse, plus la bouture peut être longue.
- Enlever les feuilles de la base sur 30 à 40 % de la longueur de la bouture.
- Enfoncer environ la moitié de la bouture dans le substrat.
- Vaporiser les feuilles restantes et arroser doucement le substrat.
- Recouvrir le tout de plastique transparent.

Les coléus sont parmi les plantes les plus faciles à bouturer.

106

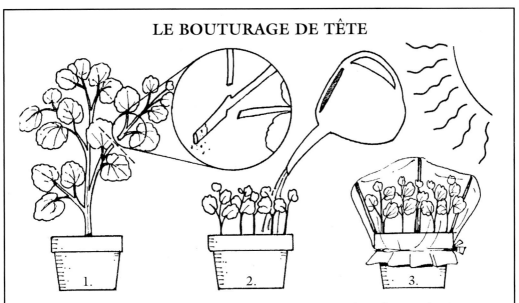

LE BOUTURAGE DE TÊTE

1. Couper l'extrémité d'une jeune tige en biseau et en tremper la base dans une hormone.
2. Planter les boutures serré et arroser le substrat.
3. Recouvrir le tout d'un plastique transparent et placer à la bonne lumière.

- planter les boutures dans un substrat composé de 2/3 de sable, 1/3 de compost;
- placer à forte lumière (le soleil levant ou couchant ne nuit pas);
- arroser fréquemment.

Pour vous distinguer

Les plus vieilles violettes africaines dont la tige est longue et molle peuvent être rajeunies facilement par boutu-rage. Couper la tige à la moitié de sa longueur et

faire tremper sa base dans une assiette contenant 3 à 5 cm d'eau. Empoter la nouvelle plante quand les racines ainsi formées ont plusieurs centi-mètres de longueur.

BOUTURAGE DE PORTIONS DE TIGE AVEC FEUILLES

Utilisé surtout sur les plantes re-tombantes et quelques plantes arbustives herbacées, le bouturage de portions de tige avec feuilles permet d'obtenir un maximum de plants à partir d'une seule tige.

Mises en garde

- Ce genre de bouturage est difficile à réaliser sur les arbres et les arbustes à tiges ligneuses.
- Bien repérer le haut et le bas de chaque portion de tige: une bouture à l'envers ne s'enracine pas.

La technique

- Le long de la tige, prélever des boutures de 5 à 10 cm, comprenant chacune 2 ou 3 feuilles ou paires de feuilles, quand celles-ci sont opposées. Le bourgeon latéral est situé à leur aisselle.
- Enlever la feuille de la base.
- Enfoncer les boutures jusqu'à l'intersection de la feuille restante.
- Vaporiser légèrement et arroser doucement le substrat.
- Recouvrir le tout de plastique transparent.

Les jeunes boutures doivent être plantées serrées, de préférence dans un pot de terre cuite.

BOUTURAGE DE PORTIONS DE TIGE SANS FEUILLE

Effectué spécifiquement sur les dracænas, les cordylines, les diffenbachias et les aglaonémas dont la tige est longue et dégarnie, le bouturage de portions de tige est le plus délicat de tous.

La technique

- Découper la tige en tranches de 2 à 4 cm de longueur.
- Les coucher à 5 cm d'intervalle, puis les enterrer en les recouvrant d'une très mince couche de substrat.
- Vaporiser légèrement et arroser doucement le substrat.
- Recouvrir le tout de plastique transparent.
- Rempoter les plants dès l'apparition des jeunes feuilles.

Mise en garde

Chez le cactus de Noël (shlumbergera ou zygocactus), la tige est faite de segments. Le bouturage consiste à séparer les segments les uns des autres avec un couteau ou un greffoir. Laisser ensuite sécher la plaie pendant 2 ou 3 jours, puis planter chaque segment verticalement dans un mélange 1/2 sable, 1/2 compost.

BOUTURAGE DE FEUILLES SEULES

Utilisé pour un nombre restreint de plantes, spécifiquement les touffes de pépéromias et les violettes africaines, le bouturage de feuilles est d'autant plus spectaculaire que les racines et les feuilles apparaissent sur le pétiole ou autour de la jonction du pétiole et du limbe.

La technique

- Bien arroser le substrat.
- Prélever des feuilles sur le pourtour extérieur de la plante.
- Recouper proprement le pétiole en le laissant le plus long possible.
- L'enfoncer jusqu'à ce que le limbe effleure le substrat. Attention, le limbe des violettes ne devrait pas toucher le substrat. Espacer suffisamment pour que les limbes ne se touchent pas.
- Recouvrir le tout d'un plastique transparent.
- Empoter quand les nouvelles feuilles sont bien visibles.

BOUTURAGE DE PORTIONS DE FEUILLES

Utilisé seulement pour le streptocarpus et le bégonia rex, le bouturage de portions de feuille doit être exécuté avec précaution. Le principe est le même pour les 2 espèces: la nouvelle plante se forme sur les nervures. Toutefois, les techniques diffèrent sensiblement.

Le *Peperomia sandersii* se multiplie dans un substrat très sablonneux.

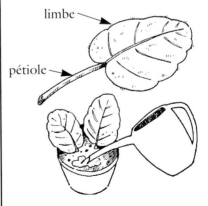

LE BOUTURAGE DE FEUILLES SEULES

limbe

pétiole

Enfoncer les pétioles jusqu'à ce que le limbe effleure le substrat. Arroser sans excès.

Technique pour le streptocarpus

- Bien arroser le substrat.
- Prélever de grosses feuilles fermes et bien vertes.
- Couper le pétiole dans le sens de la largeur, en tranches d'environ 5 cm.
- Enfoncer chaque tranche à la verticale sur environ la moitié de sa hauteur. Les espacer de 2 cm environ.
- Recouvrir le tout d'un plastique transparent.

Première technique pour le bégonia rex

- Bien arroser le substrat.
- Prélever la plus grosse des feuilles en santé du plant et l'étendre à l'endroit sur le substrat.
- Couper des trombones en deux et conserver les 2 parties recourbées avec leurs «pattes».
- À travers la feuille, enfoncer chaque demi-trombone dans le substrat, à l'embranchement de 2 grosses nervures.

LE BOUTURAGE DU BÉGONIA REX

Découper une feuille en carrés à la jonction des nervures. Placer les carrés à plat sur le substrat ou debout.

- Recouvrir le tout d'un plastique transparent ou, encore mieux, d'une vitre.
- Quand les jeunes plantes apparaissent, découper la feuille en sections avec une lame.

Deuxième technique pour le bégonia rex

- Bien arroser le substrat.
- Prélever la plus grosse des feuilles en santé du plant.
- La découper en carrés d'environ 3 cm de côté, comprenant chacun l'embranchement de 2 grosses nervures. Sur les petites nervures, le succès est moins certain.
- Poser chaque carré à l'endroit sur le substrat en appuyant légèrement pour que les nervures soient en étroit contact avec lui.
- Recouvrir le tout d'un plastique transparent ou, encore mieux, d'une vitre.

Begonia rex hybride

110

LE MARCOTTAGE

Comparativement au bouturage, le marcottage comporte un avantage majeur: les jeunes plants forment des racines avant d'être séparés de la plante mère, ce qui garantit presque les résultats. Encore faut-il que la technique soit bien exécutée, surtout celle du marcottage aérien utilisée pour multiplier les plantes qui supporteraient mal le bouturage de tête, que ce soit parce qu'elles touchent le plafond ou non.

MARCOTTAGE PAR COUCHAGE

Le marcottage par couchage convient aux *plantes retombantes* à tiges bien développées et aux *arbustes à tiges souples* dont la base est bien garnie. Opérer de préférence au cours de l'été. Toujours arroser la plante 24 heures à l'avance.

Pour vous faciliter la tâche

Il est recommandé de transporter la plante à marcotter sur un établi ou une planche de bois assez large et de l'exposer à une bonne lumière pendant la durée de l'opération (environ 1 mois).

La technique

- À côté de la plante, déposer un plateau de plastique rempli d'un substrat sablonneux.
- Allonger les tiges à marcotter sur le substrat.
- Les enfoncer légèrement au point de contact avec le substrat et ce, à l'emplacement d'une ou de plusieurs feuilles préalablement enlevées, le plus près possible de la base de la plante.
- Pour maintenir les tiges en place, spécialement celles des arbustes, déposer une petite pierre sur la partie enterrée.
- Arroser doucement et maintenir humide.
- Pour constater la formation de racines, gratter légèrement la terre à intervalles réguliers, mais pas avant 4 semaines.
- Une fois l'enracinement suffisant, sectionner avec un sécateur la tige au-delà de la dernière racine située du côté de la plante mère.

Marcottage aérien

Pratiqué en intense luminosité, le marcottage aérien convient aux plantes vigoureuses dont la grosse tête serait difficile à bouturer: aglaonema, dieffenbachia, dracæna, monstera, pléomèle, schefflera, brassaia, *Ficus decora, Ficus robusta* et leurs variétés. Toujours arroser la plante 24 heures à l'avance.

Pour vous faciliter la tâche

- Toutes ces plantes peuvent être *taillées* sans qu'il soit nécessaire de sauver leur tête. Le marcottage a justement pour but de la sauvegarder.
- Si l'on pratique le bouturage après avoir coupé la tête, une fois celle-ci sectionnée, réduire le nombre de feuilles à 3 ou 4 et les relier avec un élastique, les faces supérieures serrées les unes contre les autres afin de réduire l'évaporation.

La technique

- Identifier l'endroit où il faudra couper la tête, c'est-à-dire de 10 à 60 cm plus bas que la dernière feuille, suivant la grosseur de la tige et de la plante.
- Avec un couteau tranchant ou un greffoir, prélever un anneau d'écorce de 1 à 3 cm de largeur.
- *Il est recommandé mais pas obligatoire* de saupoudrer la plaie d'un produit d'enracinement approprié.

- Couvrir la plaie d'une grosse poignée de mousse de sphaigne humide (sans excès) ou de tout autre matériau naturel, spongieux.
- Envelopper le tout d'un plastique transparent.
- Ficeler le haut et le bas de l'enveloppe de plastique. Serrer sans écraser la tige.
- Au besoin en cours d'enracinement, ouvrir la partie supérieure de l'enveloppe pour arroser la mousse qui doit demeurer légèrement humide.
- Surveiller l'apparition des racines à travers le plastique.
- Lorsque plusieurs racines semblent bien formées, couper la tige le plus près possible de la racine la plus basse.
- Empoter immédiatement dans un terreau riche.

Quand un *Ficus elastica 'Decora'* touche le plafond, on lui sauve la tête par le marcottage aérien.

112

LE MARCOTTAGE AÉRIEN

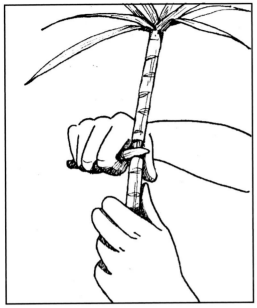

1. Pratiquer 2 incisions annulaires, de 10 à 60 cm plus bas que la dernière feuille.

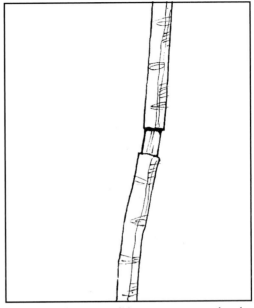

2. Enlever l'anneau d'écorce et saupoudrer la plaie d'hormone d'enracinement.

3. Couvrir la plaie avec de la sphaigne humide.

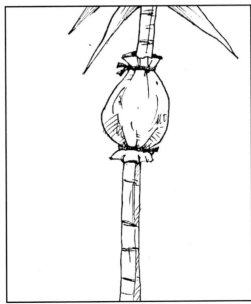

4. Attacher un morceau de plastique transparent par-dessus la sphaigne.

AUTRES MÉTHODES DE MULTIPLICATION

Il y aura toujours des exceptions: certaines plantes ne se prêtent ni au bouturage, ni au marcottage. Plusieurs d'entre elles pourraient être semées, mais si cette méthode apparaît trop longue et fastidieuse, que reste-t-il? Les méthodes de multiplication les plus faciles qui soient.

LE PRÉLÈVEMENT DE REJETONS

Cette méthode s'impose dans le cas des cactus en boule, mammilaria en tête, et dans le cas des bromélias. On appelle rejetons ces jeunes plants qui naissent au pied de la plante mère; ils sont généralement dépourvus de racines. Dans le cas des bromélias, ils servent à garantir la propagation de l'espèce, car la plante mère va mourir après la floraison. Dans le cas des cactus, ils servent surtout à coloniser l'espace environnant.

La technique

- Avec un couteau tranchant ou un greffoir stérilisé, séparer le rejeton de la plante porteuse. *Le rejeton devrait avoir atteint environ 10 % des dimensions de la plante mère.*
- Recouper la base du rejeton en vue d'obtenir une plaie nette et droite.
- Dans le cas des cactus, laisser sécher la plaie pendant 4 à 8 jours.
- Tremper la base du rejeton dans une poudre d'enracinement destinée aux tiges herbacées.

- Choisir un substrat très léger: 1/2 sable, 1/2 compost. Enfoncer les bromélias jusqu'à la base des premières feuilles. Déposer simplement les cactus en appuyant légèrement pour qu'ils s'enfoncent.
- Arroser doucement le substrat des bromélias; vaporiser celui des cactus.
- Placer le tout dans une intense luminosité.

LE PRÉLÈVEMENT DE DRAGEONS

Les drageons sont des plantes formées directement sur les racines comme en témoignent, par exemple, l'aloès, l'agave et quelques plantes arbustives.

La technique

- Dégager la terre autour du drageon.
- Avec un sécateur, séparer le drageon de la plante porteuse en prélevant le plus possible de jeunes racines. Le drageon devrait mesurer au moins 10 cm.
- Recouper la base du drageon en vue d'obtenir une plaie nette et droite.

- Choisir un substrat très léger: 1/2 sable, 1/2 compost. Enfoncer les drageons jusqu'à la marque de séparation de la tige et des racines.
- Planter chaque drageon directement dans un pot de 10 cm.
- Arroser doucement.
- Placer le tout dans une intense luminosité.

LA DIVISION

La multiplication par division convient aux plantes qui poussent en touffes compactes: asparagus, fougères, sansevière, chlorophytum, la plupart des plantes suspendues, certaines variétés de dieffenbachia, d'aglaonéma et de pépéromia, certaines espèces de palmiers. Elle a pour but de réduire les dimensions d'une plante dont les racines emplissent le pot et dont les tiges cherchent désespérément une petite place au soleil. Chaque plante peut être divisée en deux, trois ou même en quatre parties.

La technique
- Arroser la plante au moins 48 heures à l'avance.
- Préparer le nombre de pots nécessaire, car il faudra faire vite.
- Sortir la plante de son pot et la poser sur une table de travail.
- Avec un grand couteau bien affûté, trancher une galette de 3 à 4 cm d'épaisseur au-dessous de la motte.
- Puis, diviser la motte d'abord en deux. Le cas échéant, les grosses racines seront sectionnées avec un sécateur.
- Empoter chaque portion dans un terreau approprié à l'espèce.

- Arroser et placer les plantes dans une intense luminosité.

Pour vous distinguer

Si votre asparagus a dépéri au point de perdre la plus grande partie de son feuillage, il vaudrait mieux le diviser au moins en deux. Mais auparavant, couper tout le feuillage, y compris le feuillage sain, à 2 cm du pot. Soumis à une luminosité suffisante, il ne tardera pas à se refaire une beauté.

Chlorophytum comosum 'Vittatum': à diviser quand il n'y a plus de «bébés».

LA DIVISION

1. Couper la motte en deux avec un couteau tranchant.

2. Garder les 2 parties humides pendant l'opération.

3. Réduire chaque partie pour qu'elle ne représente que 50 à 70 % du volume du nouveau pot.

TROISIÈME PARTIE

Décorer avec les plantes

AMÉNAGER AVEC LES PLANTES

Tenir compte du décor... et des plantes.

L'aménagement intérieur avec des plantes consiste à intégrer celles-ci à un décor déjà composé de meubles, de tapis, de rideaux, de lampes et de pièces murales. Qui dit aménagement dit variété de plantes, de formes, de couleurs et de dimensions, compte tenu des conditions lumineuses de l'espace concerné. Qui dit plantes parle d'entretien et celui-ci comprend des pots et des cache-pot qui ne nuiront pas à la santé des racines. Le nombre de plantes est fonction de l'harmonie des couleurs, des styles et des masses à réunir sous un même coup d'œil.

LES PLANTES ET LA LUMIÈRE

Les plantes ne sont pas des meubles et, par conséquent, on ne les dispose pas en fonction de leur seule apparence. Comme elles ne sauraient survivre sans lumière, l'aménagement intérieur des plantes commence par l'identification des sources lumineuses: dimensions et orientation des fenêtres, présence et intensité de l'éclairage artificiel.

C'est là, également, une question d'économie, puisqu'un tel aménagement entraîne des dépenses. Il convient donc en premier lieu de mesurer la lumière en fonction des besoins de chaque plante (voir le chapitre «Question de lumière»), puis de déterminer le meilleur emplacement. N'oublions pas que l'ajout d'éclairage artificiel est toujours possible.

Mise en garde

La lumière complémentaire n'est efficace que si elle atteint le dessus des feuilles et non le dessous.

Parmi les éléments qui diminuent l'intensité de la lumière, notons surtout les rideaux et les tentures.

LES PLANTES ET LES STYLES

Rien de rigoureux ne régit les relations entre les plantes et les styles décoratifs. Voici néanmoins quelques règles d'esthétique.

Dans un style rustique, les masses de verdure de toutes dimensions sont d'un bel effet. Par souci d'équilibre, elles gagnent à être accompagnées de petites plantes à fleurs ou de fleurs coupées.

Dans un style dépouillé ou moderne, on se contente de petites touches de verdure çà et là suivant une large gamme de verts. On les fait alterner avec des plantes à feuillage liniforme et géométrique.

Dans un style classique, qu'il soit royal ou précieux, on s'efforce d'égayer la pièce de couleurs subtiles ou d'ajouter à son élégance par des plantes à feuillage décoratif (voir la liste à la fin de l'ouvrage).

Le *Phœnix rœbellini* a un feuillage léger et fin qui convient à tous les styles.

LES PLANTES ET LES VOLUMES

Principe de base

Dans une pièce, les plantes meublent l'espace qui leur est réservé ainsi que l'espace qui les sépare. Elles donnent de la vie au décor. Elles adoucissent les lignes géométriques des murs et des meubles tout en reliant les différents éléments de la pièce.

Règles générales

- Les plantes longues atténuent la hauteur des meubles, une armoire par exemple;
- les plantes en buisson ont tendance à accentuer cette hauteur;
- elles accentuent aussi l'aspect massif d'un coffre;
- les plantes à feuillage léger et clairsemé atténuent la massivité d'un meuble;
- les plantes couvre-sol très basses, voire miniatures, conviennent aux tables basses ou à tablette unique.

LES PLANTES ET LES COULEURS

D'un point de vue strictement décoratif, le vert des plantes se marie à la plupart des couleurs environnantes, du noir au blanc. Cependant, la couleur des murs et celle des planchers ont un effet secondaire plus ou moins marqué sur les plantes à cause de leur influence sur la quantité de lumière qui leur parvient. Pour bien comprendre ce phénomène, rappelons que le spectre de la lumière

ire est constitué des couleurs de l'arc-
iel dont 3 revêtent une importance
iculière.

Le vert: exposées à une lumière verte
ou à dominance verte, les plantes
meurent. Dans une pièce où les
meubles et les revêtements seraient
erts, les plantes manifesteraient une
ette difficulté de croissance.

e bleu, le rouge et leurs dérivés: ex-
osées à ces rayons lumineux, les
antes montrent une croissance ac-
ue parce que le processus de la
otosynthèse s'en trouve accéléré.

lleurs, la réflexion de la lumière est
tense sur un revêtement blanc ou
leur pâle que sur un papier peint
u une surface de bois. Le complé-
e lumière dû à la réflexion sur un
ut avoir un impact appréciable sur
ntité de feuilles que gardera la
une fois sa période d'adaptation
e.

LANTES ET
FFETS DE L'ÉCLAIRAGE

us pouvez jouer avec la lumière
er ainsi à vos meubles et à vos
n cachet particulier qui in-
énormément l'ambiance de
or. Des précautions s'imposent
t et, à cet égard, quelques relations figurent dans la
précédente. Quoi qu'il en soit,
doit d'abord profiter à la
et à la santé des plantes.

LES PLANTES,
LES POTS ET LES CACHE-POT

Rempoter les plantes dans un pot décoratif plaît sans doute à l'œil du décora-
teur, mais les plantes ne sont pas toujours
du même avis. En effet, elles devront en
subir les inconvénients, qui résultent en
particulier de leur dimension: les plantes
n'ont souvent pas besoin d'un grand volume de terreau.

De là découle le principal problème des
plantes d'intérieur:

*Trop gros pot = Trop de terre = Trop
d'eau = Asphyxie des racines = Dépérissement de la plante*

Dans tous les cas où l'esthétique et la
stabilité de la plante le permettent, on
gagne à déposer tout au plus le pot de
culture dans un pot ou un cache-pot décoratif.

Un détail intéressant: les problèmes d'excès d'eau dans les gros pots sont beaucoup moins dramatiques quand il s'agit
de modèles munis d'une soucoupe incor-
porée.

La matière dont sont fabriqués les pots importe peu en autant qu'elle soit durable et facile d'entretien. *Doubler l'intérieur des pots de métal et de bois avec une épaisse feuille de plastique.* Les pots de plastique, de fibre de verre, de céramique, etc., ne requièrent pas de protection spéciale.

La couleur du pot, parfois inhérente à sa matière, doit rester aussi neutre que possible et ce, quel que soit le style de la décoration ambiante. *C'est la plante que l'on veut mettre en valeur, pas le récipient.* Parmi les couleurs neutres, notons le blanc et le blanc cassé, le beige, le brun plus ou moins foncé, le noir, le gris et les variantes les plus foncées possible du rouge, du vert et du bleu.

DÉCORATION ET ENTRETIEN

Décorer et garder les plantes en vie le plus longtemps possible sont des défis en soi. Voici quelques trucs pour éviter les pièges les plus courants:

- Les plantes logées dans les coins les plus sombres devraient faire un séjour d'au moins une semaine par mois près d'une fenêtre bien éclairée. On peut aussi placer toutes les plantes près des fenêtres, en hiver surtout, quitte à les redistribuer un peu partout quand on attend de la visite.

- Tourner les plantes d'un quart de tour toutes les semaines afin d'exposer toutes les feuilles à la lumière.

- Tailler de temps en temps les plantes qui supportent bien le sécateur pour les renforcer, les éclaircir et éliminer les tiges frêles (voir le chapitre «La taille»).

- Assurez-vous que ni tige ni feuille ne reposent sur un bois non verni, car l'évaporation de surface produit des gouttes d'eau qui pourraient marquer le bois.

Le *Ficus benjamina* doit être tourné fréquemment pour éviter de toujours perdre des feuilles du côté sombre.

Le *Dracæna marginata* est une plante à la fois très décorative et facile à entretenir.

UN JARDIN DANS UNE TASSE À THÉ

Cadeaux ravissants, les jardins miniatures comportent parfois des plantes qui n'ont pas les mêmes exigences, ce qui met en danger la survie de l'arrangement. Voici comment composer un beau petit jardin qui n'aura pas ces inconvénients.

LES INGRÉDIENTS

Choisissez d'abord une jolie tasse à thé qui ne vous sert pas tous les jours, évidemment. Ensuite, allez fureter chez votre fournisseur préféré et achetez l'une des plantes énumérées plus loin.

Un petit peu de charbon de bois fin sera également requis. Vous en mettrez au moins 2 cm dans le fond de la tasse; l'excès d'eau d'arrosage s'y accumulera sans nuire aux racines. Ne craignez rien pour la tasse.

En vous promenant dehors, ramassez quelques petits morceaux de bois mort sur les branches basses des arbres. Vous les piquerez dans votre petit jardin en guise de décoration. Récoltez aussi un peu de la mousse d'une pierre; conservez-la au réfrigérateur dans un sac de plastique avec quelques gouttes d'eau.

LA PLANTATION

Préparez un terreau léger en ajoutant un peu de tourbe (10 %) et de sable fin (10 %) au terreau de rempotage commercial que vous aurez acheté. Humectez-le en vapo-risant de l'eau à la surface. Enfin, versez-en quelques centimètres dans la tasse, sur le charbon de bois.

Sortez la plante de son pot et placez-la sur une planche de cuisine. Prenez votre couteau le plus tranchant et réduisez la motte (dessous et côtés) pour qu'elle n'occupe pas plus de la moitié du volume intérieur de la tasse. Installez la plante dans celle-ci et versez du terreau tout autour. Ne remplissez pas jusqu'au bord: il faut un peu de place pour arroser. Tassez légère-ment puis arrosez sans excès.

Les tasses de porcelaine peuvent être offertes sous forme de petits jardins.

L'entretien ne sera pas bien compliqué. La terre risque de sécher vite; ne la laissez pas sécher complètement. Quand vous arrosez, allez-y tranquillement. Quelques gouttes d'eau suffisent. Surtout pas d'engrais, car plus la plante poussera vite, plus il faudra la transplanter vite.

DES PLANTES POUR TASSE À THÉ

• *Destinées aux coins très éclairés:* violettes et orchidées miniatures, buis, cactus, crassulas, épiscias, ficus rampants, fittonias, pépéromias, piléas, saxifrages, sélaginelles, sténandriums.

• *Destinées aux coins moins clairs:* adiantums, pteris, chlorophytums, cryptanthus, lierres, sansevières miniatures, sélaginelles.

Le *Peperomia rubella* est un spectacle en lui-même.

Les *Selaginella kraussiana* et *Selaginella kraussiana 'Aurea'* ravissent par leur vigoureuse délicatesse.

QUATRIÈME PARTIE

Liste alphabétique
des plantes

POUR VOUS FACILITER LA TÂCHE

Pour bien comprendre les exigences de chaque
espèce, il est préférable d'avoir lu les chapitres
précédents. (Les mots suivis d'un astérisque sont
définis dans le lexique de la partie suivante.)

ABUTILON (Érable de maison)

Abutilon hybridum

Abutilon megapotamicum 'Variegatum'

Variétés: *A. striatum* et *A. megapotamicum*, de la même famille que l'hibiscus et la rose trémière. Feuilles en forme de feuille d'érable, très découpées, légèrement velues, vertes ou tachetées de jaune. Fleurs en clochette, du rose pâle au rouge foncé selon les variétés, en passant par le jaune et l'orange. Bonne lumière ou soleil passager. Ne doit jamais manquer d'eau. En mars, réduire les jeunes tiges des deux tiers. Tuteurer au besoin. Multiplication par semis ou par bouturage.

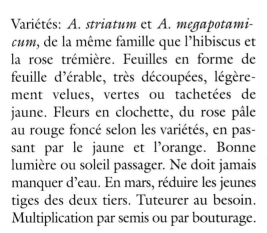

Abutilon striatum hybride

126

ACALYPHA

Acalypha hispida

Acalypha wilkesiana 'Obovata'

Acalypha wilkesiana

Acalypha wilkesiana à Cuba.

Variétés: *A. hispida* (plante chenille), *A. wilkesiana, A. godseffiana,* de la même famille que le croton et le poinsettia. Arbuste dressé à feuillage semblable au coleus, quoique plus gros. Inflorescence* en forme de chenilles. Lumière forte ou plein soleil. Laisser sécher légèrement entre les arrosages. L'été, sortir dehors à l'abri du vent. Multiplication par bouturage.

127

ADENIUM

Adenium obesum (adulte)

Adenium obesum

Variété: *A. obesum* de la famille des apocynacées comme l'alamanda et le laurier rose. Plante à tronc épais, renflé à la base, dont la croissance est très lente. Feuilles vert foncé, veinées de vert pâle en leur milieu. Les fleurs roses ressemblent à celles du laurier; leur cœur est presque blanc et l'extrémité des pétales, presque rose foncé. Terre acide, riche et légère. Le pot, en terre cuite de préférence, doit être aussi petit que possible, compte tenu des dimensions de la plante. Lumière de forte à très forte durant au moins la moitié de la journée. Laisser sécher la terre à 50 % entre les arrosages. La plante, grâce à ses réserves d'eau, peut supporter une sécheresse passagère, mais sa croissance va cesser et elle perdra ses feuilles. De nouvelles feuilles apparaîtront sur les nouvelles tiges quand la croissance reprendra. Pour une floraison au printemps, placer la plante au frais (de 8 à 12 °C) pendant 2 à 3 mois en hiver; réduire alors les arrosages au strict minimum. Peut passer l'été dehors avec une durée d'acclimatation très courte, même en recevant plusieurs heures de soleil par jour. La sève est toxique. Multiplication par bouturage au printemps.

Æschynanthus

Æschynanthus lobbianus: début de floraison

Æschynanthus lobbianus: pleine floraison

Variétés: *A. lobbianus* (à grandes feuilles), *A. marmoratus* (à feuilles zébrées), *A. speciosus* (à petites feuilles), de la même famille que la violette africaine et le gloxinia. Très jolies plantes retombantes cultivées en paniers suspendus, produisant des fleurs variant de l'orangé au rouge foncé. Deux mois peuvent s'écouler entre le début et la fin de la floraison. Cultivées comme plantes vertes, elles supportent les coins sombres. Les fleurs apparaissent lorsque la lumière est très bonne (à l'abri toutefois du gros soleil) et que la terre, riche en compost ou en terreau de feuilles, est régulièrement arrosée. En hiver, laisser reposer la plante à la faveur d'une température plus basse. Une

Æschynanthus speciosus

sécheresse passagère ne nuit pas. Multiplication par bouturage ou par marcottage.

129

ÆSCHYNANTHUS

Æschynanthus marmoratus

AGAVA (Agave)

Agava angustifolia 'Marginata'

Variétés: *A. angustifolia, A. americana, A. atenuata, A. parviflora, A. victoriæ,* de la famille des amaryllidacées comme l'amaryllis et le clivia. Plantes à feuilles épaisses et pointues, parfois rayées de jaune ou de gris, adaptées aux climats arides. Très résistantes, elles préfèrent le plein soleil et une terre sablonneuse. Laisser sécher la terre entre les arrosages. Multiplication par rejetons* ou par bulbilles* adventives*.

Agava parviflora

131

AGAVA (Agave)

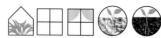

Agava angustifolia 'Marginata' (vieux plant)

Agava americana 'Marginata'

Agava atenuata (à Cuba)

Agava angustifolia 'Marginata' (à Cuba)

AGLAONEMA

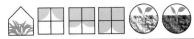

Aglaonema rœbellini

Aglaonema rœbellini 'Silver Queen'

Aglaonema commutatum 'Pseudobracteatum'

Variétés: *A. commutatum, A. maculatum, A. pseudobracteatum, A. modestum, A. rœbellini, A. simplex,* de la famille des dieffenbachias et des philodendrons. Feuillage étroit et érigé, vert foncé ou panaché de jaune ou de vert pâle. Supporte les coins sombres et les fenêtres au nord, mais préfère une lumière moyenne à forte. Terre riche en humus que l'on fera sécher légèrement entre les arrosages. Pousse en touffe, c'est donc par division qu'elle se reproduit le mieux. On peut aussi bouturer les tiges.

133

AGLAONEMA

Aglaonema commutatum 'Maculatum'

Aglaonema simplex

Aglaonema commutatum
'Pseudobracteatum'

Aglaonema commutatum 'Maria'

ALLAMANDA (Trompette d'or)

Allamanda neriifolia

Allamanda cathartica 'Hendersonii'

Variétés: *A. cathartica* et *A. neriifolia*, de la même famille que le laurier rose. Plantes arbustives à grandes fleurs jaune vif qui apparaissent sur les nouvelles tiges. Par conséquent, au printemps, couper les branches d'un à deux tiers. La terre, riche en matière organique, ne doit pas sécher complètement au niveau des racines. Peut passer l'été dehors avec une durée d'acclimatation très courte, même en recevant plusieurs heures de soleil par jour. Multiplication par bouturage en recouvrant le pot de plantation d'un plastique transparent; exposer à une bonne lumière. Ne pas laisser plus de 2 feuilles sur chaque bouture.

ALOCASIA

Alocasia indica

Variétés: *A. indica, A. sanderiana, A. watsoniana,* de la famille des aracées, comme le philodendron, le pothos, le caladium et le dieffenbachia. Plante tubéreuse à feuillage très décoratif plus ou moins épais, plus ou moins rigide. Lumière moyenne à forte, toute l'année. Entre novembre et mars, abaisser la température (de 14 à 20° C) au moins durant la nuit. Réduire les arrosages dans les mêmes proportions. Le reste de l'année, la plante a besoin de chaleur et d'humidité pour bien pousser et ce, dans un compost léger pouvant être additionné de tourbe selon des proportions variant de 30 à 60 %. Plus la lumière est forte, plus la quantité de compost peut être élevée. Multiplication par division des tubercules en hiver.

ALOE (Aloès)

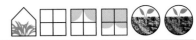

Aloe arborescens

Le plus connu des aloès est *Aloe vera*, apprécié pour les propriétés de sa sève qui guérit les plaies légères et les brûlures. Il existe d'autres espèces: *Aloe arborescens, Aloe eru 'Maculata'*, etc. Les aloès font partie de la famille du lis, des asparagus, du chlorophytum, des dracænas, etc. Feuilles épaisses et tendres au contour dentelé, ce qui rend la plante résistante à la sécheresse. L'aloès fleurit si les conditions de lumière sont très bonnes, en serre la plupart du temps. Multiplication par rejetons* ou par bouturage.

Aloe vera

137

ALOE (Aloès)

Aloe vera (fleurs) en serre.

Pour réussir

Pour qu'un aloès donne le meilleur de lui-même et pour éviter les excès d'eau, le planter dans un pot bas et large. La largeur va lui permettre de produire des drageons qui rempliront le pot.

AMARYLLIS: voir *Hippeastrum*.

Anthurium

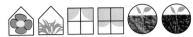

Anthurium scherzerianum

Anthurium scherzerianum 'Rothschildianum'

Variétés: *A. scherzerianum, A. nebulosum, A. andreanum, A. ornatum,* etc., de la famille du philodendron et du pothos. Plante à feuilles assez rigides, d'un vert tirant parfois sur le jaune. Elle produit une fleur (inflorescence*) rouge et brillante très caractéristique, à condition que la température ne dépasse pas 12 à 15 °C en hiver. Lumière tamisée. Éviter les pots trop gros. Au rempotage, le collet de la plante ne doit pas être enterré, sinon elle étouffe. Multiplication par semis ou par division.

Anthurium ornatum hybride

APHELANDRA

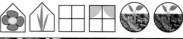

Aphelandra squarrosa

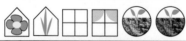

Aphelandra squarrosa 'Apollo'

Variété: *A. squarrosa* de la famille des acanthacées. Plante à feuillage vert foncé, rayé de nervures blanc ivoire. Il existe une variété à feuillage presque blanc. Elle produit une inflorescence* terminale jaune d'où jaillissent de très jolies fleurs jaunes. La floraison exige une forte luminosité. Terre riche qu'on laisse sécher à 50 % entre les arrosages. La plante perd naturellement ses feuilles du bas. Attention aux pucerons. Multiplication par bouturage.

ARAIGNÉE: voir *Chlorophytum*.

ARALIE: *voir Dizygotheca, Fatsia, Polyscia.*

ARAUCARIA (Pin de Norfolk)

Araucaria heterophylla

Araucaria bildwillii

Variétés: *A. excelsa* ou *heterophylla* et *A. bildwillii* (à feuillage raide et piquant), de la famille des araucariacées. Conifère tropical à feuillage d'un vert gai devenant plus fourni si l'on taille l'extrémité des rameaux au fur et à mesure de leur croissance. Lumière aussi forte que possible. Si l'arrosage est léger, il tolère une lumière faible, mais la croissance est presque nulle. En été, placer à l'extérieur à l'abri du vent et du soleil. En hiver, le garder si possible à une température variant de 8 à 12 °C. Terre légère, bien drainée qui n'a pas besoin d'être très riche. Multiplication (difficile) par semis.

141

ARDISIA

Ardisia crenata

Ardisia crispa

Variétés: *A. crenata* et *A. crispa*, de la famille des myrcinacées. Arbuste à port* semi-étalé, se ramifiant sans taille. Intéressant par son feuillage vert très foncé. Si les conditions de lumière (forte) et d'entretien sont adéquates, il peut porter, après une floraison modeste, des petits fruits rouges très décoratifs. Éviter les grosses chaleurs, la plante arrête alors de pousser. Réduire la fréquence des arrosages en hiver. Multiplication par semis ou par bouturage.

ASPARAGUS (Asperge décorative)

Asparagus plumosus

Asparagus sprengerii (fleurs)

Asparagus meyerii

Variétés: *A. meyerii, A. myriocladus, A. plumosus, A. sprengerii,* de la famille des liliacées comme le lis, les dracænas, la jacinthe. Plantes à feuillage très fin qui craignent les températures dépassant 22 °C; en hiver, la température idéale varie de 8 à 12 °C. Ne pas suspendre les plantes très haut. Lumière abondante toute l'année. La terre ne doit jamais sécher complètement. Si la plante jaunit, couper toutes les tiges à 3 cm du sol, il en repoussera d'autres si les conditions sont bonnes. Multiplication par semis, mais surtout par division, tous les 2 ou 3 ans. On coupe la motte avec un couteau tranchant. On peut aussi réduire la motte de 20 à 40 % et empoter la plante dans un contenant plus petit.

Aucuba

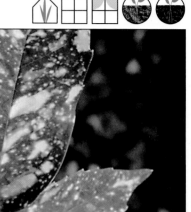

Aucuba japonica

Aucuba japonica

Variété: principalement *A. japonica 'Variegata'*, de la famille des cornacées comme le cornouiller. Arbuste trapu, à larges feuilles vert foncé, bariolées de jaune. Peut être cultivé à l'extérieur en Europe. À l'intérieur, il réclame une forte lumière, de préférence tamisée. Idéal pour la culture en serre, à condition que la température ne dépasse pas 25 °C: l'aucuba préfère vivre au frais. Terre sablonneuse mais riche. Ne pas laisser sécher à plus de 20 % entre les arrosages, sauf si les conditions lumineuses sont anormalement ou temporairement faibles. Mâle et femelle sur plants séparés. Multiplication délicate par bouturage.

144

Beaucarnea (Pied d'éléphant)

Beaucarnea recurvata

Variété: *B. recurvata,* de la famille des liliacées comme les asparagus et le chlorophytum. Tronc épais et renflé à la base: sorte de réservoir d'eau. Les feuilles sont étroites, épaisses et retombantes au sommet du tronc; elles se détachent au fur et à mesure que les nouvelles émergent. Lumière forte ou plein soleil. L'été, la mettre dehors. Terre légère que l'on arrose quand elle est sèche. Cette plante est très intéressante en décoration.

BEGONIA

Begonia rex

Il existe plusieurs espèces. Elles se multiplient par semis ou par bouturage de feuilles. Les plus répandues sont:

- le *Begonia rex* à feuillage très coloré blanc, vert pâle, rose, rouge foncé et brun sur les contours. Lumière de moyenne à forte; arroser avant que la terre ne sèche.

- le *Begonia masoniana*, ou croix de fer, son port* est semblable à celui du *B. rex;* il est vert clair et présente une forme de croix brune au centre. Même entretien que le précédent.

- les bégonias hybrides tels que *B. 'Cleopatra', B. scharffiana, B. metallica, B. olbia, B. boweri, B. medora*, etc., sont très appréciés pour leur feuillage et leur ampleur. Même entretien que les précédents. Tous les bégonias sont sensibles à l'équilibre des 3 éléments: lumière, chaleur et eau. Le moindre déséquilibre donne lieu à des réactions marquées.

BEGONIA

Begonia 'Corallina de Lucerna'

Begonia masoniana

Begonia olbia

Begonia rex 'Melody'

Begonia rex hybride

Begonia rex 'Merry Christmas'

Begonia 'Cleopatra'

147

Beloperone

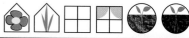

Beloperone guttata

Variété: *B. guttata*, de la famille des acanthacées comme l'aphelandra et le fittonia. Plante à petites feuilles et à floraison très attrayante: les bractées* vertes et roses ressemblent à des crevettes et renferment des fleurs blanches qui sortent à maturité. La floraison continue au printemps et en été si la lumière est bonne, la température, modérée (18 °C) et à condition que les nouvelles tiges soient taillées du tiers ou des deux tiers au printemps. On prépare alors des boutures de tête que l'on plante dans un terreau riche et sablonneux.

Beloperone guttata

148

BOUGAINVILLEA (Bougainvillée)

Bougainvillea glabra

Variétés: *B. glabra*, *B. glabra 'Variegata'* et autres hybrides, de la famille des nyctaginacées comme le pisonia. Plantes à longs rameaux plus ou moins épineux portant un feuillage rare et des bouquets de fleurs dont les bractées* sont très colorées: roses, mauves, rouges. Les bougainvillées se ramifient d'eux-mêmes. On peut les faire grimper autour d'une fenêtre ensoleillée. Lumière forte et plein soleil pour une floraison de mars à septembre. Température de 8 à 10 °C en hiver, si possible. Multiplication facile par bouturage.

BRASSAIA (Schefflera)

Brassaia actinophylla

Brassaia actinophylla 'Variegata' (chimère génétique)

Brassaia actinophylla (fleurs à Cuba)

Variété: *B. actinophylla*, de la famille des araliacées comme le fatsia et les lierres. Le schefflera est aussi appelé plante ombrelle ou plante parapluie. Ses feuilles comportent de 3 à 7 folioles* selon l'âge et la vigueur. Il préfère les situations bien éclairées, voire le plein soleil, mais tolère des expositions moyennes, artificielles ou naturelles, aussi basses que 1 000 lux*. Laisser sécher la terre entre les arrosages. Sensible aux tétranyques; traiter au savon insecticide. Se taille et se ramifie facilement. Multiplication par semis, par bouturage ou par marcottage aérien.

BUISSON ARDENT: voir *Euphorbia splendens*.

150

BROMÉLIAS

Faciles, les bromélias! Ils vivent accrochés aux arbres tropicaux et leurs racines, naturellement peu développées, n'ont pas besoin de beaucoup de terre. Il est donc préférable de les mettre dans de petits pots, sinon la plante est mal à l'aise et végète. Voilà, en résumé, leurs exigences, mais il y a plus, bien sûr.

PETITES RACINES PAS COMPLIQUÉES

Idéalement, un bromélia adulte ne devrait pas être planté dans un pot dont le diamètre dépasse 10 cm. Mais, pour des raisons à la fois d'équilibre et d'esthétique, on est souvent contraint de planter les grandes espèces dans des pots de 15 à 30 cm, par exemple, quand il s'agit d'un plant bien développé de *Æchmea gigantea*.

Le terreau doit être organique, c'est-à-dire contenir au moins 40 % de compost et 20 % de tourbe. Pour éviter que les racines souffrent d'excès d'eau, il est impératif d'ajouter du sable ou de la perlite, ou un mélange des deux.

LA LUMIÈRE NÉCESSAIRE

Sauf le soleil direct, toute lumière est bonne pour les bromélias. Sous une lumière faible, il ne faut pas s'attendre néanmoins que les jeunes plants se mettent à fleurir. N'oubliez pas qu'un plant de bromélia qui a fleuri ne refleurira pas. Dans des conditions idéales et après plusieurs années, les rejetons émergeant du plant mère reproduiront la merveille.

Æchmea gigantea

151

Bromélias

Vrièsia splendens 'Favorite'

ÆCHMEA

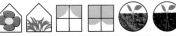

Æchmea fasciata

Variétés: *A. fasciata, A. gigantea, A. fulgens*. Plantes épiphytes* de couleur grisâtre, à bractées* roses. Les rares racines font office de support. La plante absorbe l'eau et les sels minéraux par des cellules spécialisées situées au creux du vase que forment les feuilles. Ce vase doit être toujours plein d'eau propre, donc la renouveler 2 fois par semaine. La terre, riche en terreau de feuilles ou compost, est gardée légèrement humide. Pleine lumière. Multiplication par rejetons* quand la plante mère dépérit après la floraison. Les jeunes plants ne fleurissent qu'après plusieurs années dans des conditions idéales de lumière.

ÆCHMEA

Æchmea fasciata

Æchmea fulgens

Æchmea gigantea

ANANAS (Ananas décoratif)

Ananas comosum

Ananas bracteatus 'Striatus'

Variétés: *A. comosus, A. comosus 'Variegatus', A. bracteatus.* Plantes à feuilles rigides, bordées de piquants. Forte lumière, plein soleil de préférence. Terre riche et sablonneuse. Le fruit pousse au centre, au bout d'une tige; il est comestible et une nouvelle plante apparaît à son sommet. Pour créer une nouvelle plante, on la sépare avec un morceau du fruit, on laisse sécher la plaie de 5 à 8 jours, puis on rempote la jeune plante dans un terreau léger. Multiplication également par rejetons*.

CRYPTANTHUS (Étoile de terre)

Cryptanthus 'Silver Lilac'

Cryptanthus bromelioides 'Tricolor'

Il existe de multiples variétés de cryptanthus dont C. *bivittatus* et C. *zonatus*, qui, eux-mêmes, regroupent plusieurs hybrides. Petites plantes de 3 à 8 cm de haut dont les feuilles en forme d'étoile sont caractéristiques. Leur petite dimension et leurs couleurs gaies en font des plantes idéales pour les terrariums ou pour les jardins de cactus, ou comme couvre-sol dans des bacs bien éclairés. Plantes épiphytes*, elles réclament peu d'eau. Bonne lumière de préférence. Multiplication par rejetons*.

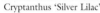

Cryptanthus hybride

CRYPTANTHUS (Étoile de terre)

Cryptanthus bivittatus 'Starlight'

Cryptanthus zonatus 'Forma fuscus'

Cryptanthus zonatus 'Zebrinus aureus'

Cryptanthus 'Carnaval de Rio'

Cryptanthus fosterianus

Cryptanthus 'Feuerz Auber'

Cryptanthus 'Beuckeri'

Cryptanthus bivittatus

Guzmania

Guzmania lingulata 'Cardinalis'

Guzmania monostachya

Variétés: *G. lingulata 'Cardinalis'* à feuillage rouge, *G. insignis, G. lingulata* et les hybrides *monostachya, zahnii*. Pour l'entretien, voir Æchmea.

Guzmania minor

GUZMANIA

Guzmania hybride 'Omer Morobé'

Guzmania hybride 'Symphony'

Guzmania hybride

Guzmania lingulata 'Mathilda'

Guzmania lingulata 'Variegata'

Guzmania zahnii

Guzmania hybride

Hechtia

Hechtia argentea

Variété: *H. argentea*. Petite plante semblable au cryptanthus. Le dessous des feuilles est argenté. Pour l'entretien, voir Cryptanthus.

Neoregelia

Neoregelia carolinæ 'Tricolor'

Neoregelia farinosa

Neoregelia spectabilis

Variétés: *N. carolinæ*, *N. carolinæ 'Tricolor'* et autres hybrides, de la famille des broméliacées comme les ananas. Plantes à feuillage très décoratif aux tons de vert, rouge brillant, rose, etc. Elles se prêtent bien aux arrangements sur du bois d'épave. Pour l'entretien, voir Æchmea. Multiplication par rejetons.

NEOREGELIA

Neoregelia carolinæ 'Meyendorfii'

Neoregelia carolinæ 'Meyendorfii' (fleur)

Neoregelia carolinæ 'Tricolor perfecta'

Neoregelia carolinæ 'Flandria'

Ochagavia

Ochagavia carnea

Variété: *O. carnea*. Rosette de feuilles étroites, incurvées, épaisses et bordées de petites dents pointues. Plante cultivée surtout pour son feuillage. Fleurs lavande à l'occasion, sortant de bractées roses. Utilisée en association avec les cryptanthus dans les jardins miniatures.

Plantes épiphytes* réclamant peu d'eau, un peu de compost et de sable dans un petit pot. Lumière: de moyenne à forte. Multiplication par rejetons.

Tillandsia

Tillandsia cyanea

Tillandsia juncea

Variétés: *T. cyanea* à fleurs mauves, *T. lindenii* à fleurs bleues, et toutes les petites variétés à feuillage fin et parfois tortueux (*bulbosa, juncea, streptophylla, recurvata, ionantha*). Pour l'entretien, voir Æchmea.

V RIESIA

Vriesia splendens 'Major'

Vriesia splendens 'Favorite'

Variétés: *V. carinata* à bractées rouges et jaunes, *V. splendens* et *V. splendens 'Favorite'* à feuilles zébrées vert pâle et vert foncé, et bractées en épis rouges. Pour l'entretien, voir Æchmea.

Vriesia carinata

BUXUS (Buis)

Buxus microphylla 'Japonica'

Variété: *B. microphylla 'Japonica'*, de la famille des buxacées. Arbuste à petites feuilles luisantes, très ramifié, le plus souvent vendu en petits pots. Lumière intense, terre sablonneuse qu'on laisse sécher entre les arrosages. Se taille facilement. Bouturage difficile au printemps. Le mettre dehors en été, où il peut servir pour la composition de mosaïques.

CAFÉ: voir *Coffea*.

CACTUS

Que d'incompréhension subissent les cactus. «J'aime les cactus, parce qu'il n'est pas nécessaire de les arroser!» entend-on souvent. Pourtant, les cactus mériteraient d'être aimés pour ce qu'ils sont: des végétaux exceptionnels, adaptés aux pires conditions, mais qui demandent à vivre comme tous les autres. Qu'un jardinier comprenne cela et les cactus l'émerveilleront jour après jour. Non seulement par leur croissance généreuse, mais en lui donnant les plus belles fleurs de la terre.

Les cactus les plus répandus sont les suivants: *Astrophytum, Echinocactus, Ferocactus, Cereus* et proches parents, *Mammilaria, Opuntia, Rebutia*, etc. Leur famille d'appartenance est celle des cactacées. Les épines constituent les feuilles des cactus. Multiplication par semis, par bouturage ou par division selon les espèces.

POUR FAIRE FLEURIR
LES CACTUS

Depuis qu'on sait faire fleurir les cactus, ils s'attirent la faveur populaire. Mais que faut-il pour qu'un cactus se décide à produire des fleurs qui n'ont rien à envier à l'orchidée elle-même?

GRANDS GOURMANDS

La floraison du cactus a lieu au printemps et dure de 2 à 6 semaines selon les espèces. Pour une floraison garantie, il suffit que les cactus soient heureux le reste de l'année. Leur bonheur vient d'abord du soleil ou d'une forte lumière. On doit donc leur offrir une fenêtre orientée plein sud, ou légèrement à l'est ou à l'ouest.

Il est faux de croire qu'une goutte d'eau suffit aux cactus. C'est leur capacité d'adaptation qui leur permet de survivre à la sécheresse d'un désert, mais demandez à un cactus s'il aime l'eau et il vous répondra qu'il l'adore. Pour peu qu'un cactus reçoive du soleil, on peut l'arroser comme n'importe quelle autre plante.

Un autre mythe veut que les cactus poussent dans le sable. En fait, s'ils arrivent à *survivre* dans le sable, c'est parce que leurs racines sont assez fortes pour extraire l'eau d'un sol désertique. Pourtant, donnez du compost et du fumier à un cactus et vous allez le voir pousser frénétiquement.

QUESTION DE TEMPÉRATURE

Votre cactus est heureux. Il pousse vigoureusement. L'été, vous le sortez sur la terrasse. Que lui manque-t-il donc pour fleurir? La réponse se trouve dans le désert. Là-bas, pendant la saison sèche, la chaleur est intenable durant le jour, mais les nuits sont passablement froides.

En somme, un peu de froid pendant l'hiver et, c'est garanti, les cactus fleuriront. Maintenir une température de 4 à 8 °C durant la nuit serait idéal, mais si cela convient aux serres, une maison manquerait de confort dans de telles conditions. Voici une méthode plus accessible.

Installez les cactus sur le rebord d'une fenêtre munie d'un store ou d'une toile. Si le rebord n'est pas assez large, ajoutez une planche de 15 à 20 cm de largeur. Durant les nuits de novembre à mars, descendez le store devant les cactus qui, intercalés entre l'air froid de la fenêtre et l'air chaud de la pièce, seront ainsi l'objet de conditions idéales. N'oubliez pas cependant de remonter le store pendant la journée.

QUESTION D'ARROSAGE

Soumis au froid, les cactus vivent au ralenti et, dans le désert, l'époque des nuits froides correspond à la saison sèche. N'arrosez pas pendant la période de froid sauf si l'un d'eux se ratatine dangereusement.

Vers la mi-mars, reprenez les arrosages, d'abord avec une eau légèrement chaude pour signaler aux cactus que le printemps est de retour. Laissez-les en permanence à la chaleur. Au bout de quelques semaines, les fleurs sont là. Quel spectacle!

Mises en garde

- Si on ne veut pas ou ne peut pas faire fleurir les cactus, leur donner un peu d'eau une fois par mois afin de les maintenir en vie (en hiver).

- Ne pas arroser les cactus 3 semaines avant et 1 semaine après le rempotage qui a lieu dans une terre sablonneuse pouvant contenir de la tourbe, du compost ou du fumier.

- Si les conditions lumineuses sont insuffisantes, la meilleure façon de garder la beauté d'un cactus, c'est de l'empêcher de pousser. Pour cela, réduire les arrosages au strict minimum, juste assez pour le garder en vie.

Mammilaria magnimamma (fruits)

Cactus

1. Ferocactus glaucescens (fleurs)

2. Ferocactus townsendianus (fruits)

3. Cereus peruvianus (en fleurs la nuit)

4. Lemairocereus marginatus

5. Cephalocereus senilis

Plantes 1, 2, et 6

Plantes 3, 4 et 5

6. Mammilaria zelmanniana

Cactus

1. Lobivia sp.

2. Opuntia vulgaris

3. Aporocactus flagelliformis

4. Parodia sp.

5. Nopalea cochenilifera

6. Mammilaria elongata 'Pink Nymph'

Plantes 1, 4, 6, 7, 8

Plante 3

Plantes 2 et 5

7. Notocactus magnificus

8. Notocactus herselbergii

CACTUS

1. Opuntia littoralis

2. Opuntia microdasys

3. Opuntia tomentella

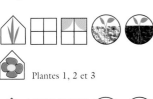

Plantes 1, 2 et 3

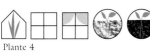

Plante 4

Plante 5

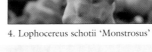

4. Lophocereus schotii 'Monstrosus'

5. Astrophytum asterias

Epiphyllum

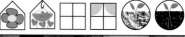

Epiphyllum ackermannii

Variétés: *E. ackermannii* et hybrides. Cactus dont le port retombant est apparenté au cactus de Noël (voir Shlumbergera), mais dont les rameaux sont beaucoup plus gros et plus longs, les feuilles, plus épaisses et les fleurs (rouges ou roses), énormes. Lumière forte à très forte, soleil tamisé si possible. Idéalement, plante de serre. Dans la maison, il est indispensable de le tourner d'un quart de tour par semaine pour que tous les rameaux soient suffisamment exposés. Terre dont les deux tiers sont composés, à parts égales, de compost (ou de fumier) et de tourbe. Le dernier tiers contient du sable grossier ou de la perlite, ou un mélange des deux. Quand on ne dispose pas de paniers suspendus assez gros pour contenir la plante, il est conseillé de la planter dans un bac situé, par exemple, directement sous un puits de lumière. Pour fleurir au printemps, elle doit vivre au ralenti de novembre à février, comme tous les cactus: température entre 8 et 10 °C, aucun arrosage. Multiplication par bouturage de segments.

GYMNOCALYCIUM

Gymnocalycium greffé, hybridé

Petits cactus ronds, côtelés et vert foncé, dont une mutation rouge orangé est particulièrement appréciée comme cactus greffé. Cette mutation ne peut pas produire de racines et doit absolument être greffée.

Gymnocalycium greffé

173

RHIPSALIDOPSIS (Cactus de Pâques)

Rhipsalidopsis gartneri

Variété: *R. gartneri*. Tige faite de segments peu dentelés, à l'extrémité de laquelle apparaissent, au printemps, des fleurs rouges en forme d'étoile. Multiplication par bouturage. Pour l'entretien, voir Schlumbergera.

SHLUMBERGERA ou Zygocactus (Cactus de Noël)

Shlumbergera

Variétés: *S. truncata* et *S. bridgesii*. Ces 2 espèces sont très proches: la première présente des segments aux contours très dentelés et des variétés à fleurs de diverses couleurs. La seconde porte des segments plus arrondis et des fleurs toujours rose foncé. Ce sont des plantes épiphytes* qui fleurissent à la faveur de journées courtes (automne et hiver); elles réclament également une période de repos après la floraison. Toutefois, une lumière de moyenne à forte pendant toute l'année leur est nécessaire. Pas de plein soleil. À partir de la fin de l'été jusqu'à l'apparition des bourgeons, réduire les arrosages et abaisser la température autour de 15 °C. On peut laisser la plante dehors tant qu'il n'y a pas de risque de gel. Multiplication par bouturage de segments.

175

CALADIUM

Caladium

Caladium

Variétés hybrides de la famille des aracées comme le philodendron et le dieffenbachia. Plante à bulbe, au feuillage très coloré qui reste beau de mai à juillet. Planter les bulbes en février dans un mélange riche en matière organique. Les placer à une bonne lumière et à la chaleur en leur assurant un bon arrosage. Couper la première pousse dès son apparition pour permettre la croissance d'un plus grand nombre de feuilles. Détruire les fleurs dès qu'elles apparaissent: elles sont sans intérêt. Garder les bulbes au frais et au sec de septembre à février, puis les empoter. L'été, les placer dehors, à l'ombre, dans le but de colorer les plates-bandes.

Caladium

176

CALATHEA

Calathea vittata

Calathea makoyana

Variétés: *C. insignis, C. makoyana, C. orbifolia, C. ornata, C. picturata, C. roseo-picta, C. vittata, C. zebrina,* de la famille des marantacées comme le maranta. Plantes à feuilles très colorées et de formes variées. Elles s'accommodent d'une lumière réduite, mais préfèrent une bonne lumière de l'est ou de l'ouest. Rempotage tous les 2 ou 3 ans seulement. Terre légère, riche en humus*, qu'on laisse sécher d'autant plus longtemps avant d'arroser que la lumière est réduite. Le calathéa peut réagir fortement si la lumière, l'eau et la chaleur sont en déséquilibre. Multiplication au printemps par division.

CALATHEA

Calathea insignis

Calathea orbifolia

Calathea ornata 'Griseo-lineata'

Calathea picturata 'Argentea'

Calathea warscewiczii

CALLIANDRA

Calliandra hematocephala (fleur)

Variétés: *C. inæquilatera, C. hemato-cephala,* de la famille des papillionacées. Arbuste à fleur en forme de toupet, très exigeant en lumière. Pour l'entretien, voir la section portant sur les hibiscus.

CALLISIA

Callisia elegans

Variété: *C. elegans*, de la famille des commélinacées comme les tradescantias. Plante
retombante, compacte, verte et blanche.
Pour l'entretien, voir Tradescantia.

CALLISTEMON

Callistemon lanceolatus

Variété: *C. lanceolatus*, de la famille des myrtacées. Arbre exigeant en termes de lumière; il produit des fleurs en forme de goupillon. Pour l'entretien, voir Hibiscus.

CAOUTCHOUC: voir *Ficus*.

181

CARISSA

Carissa grandiflora

Variété: *C. grandiflora,* de la famille des apocynacées comme le laurier. Pour l'entretien, voir Nerium. Plante qui peut être gardée miniature et qui se prête à l'art du bonsaï.

CEROPEGIA

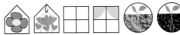

Ceropegia woodii (fleurs)

La variété la plus commune est le *C. woodii*, de la famille des asclépiadacées comme le hoya. Plantes retombantes à petites feuilles épaisses, produisant de délicates petites fleurs en forme de lanterne. Pour l'entretien, voir Hoya.

CHAMÆRANTHEMUM

Chamæranthemum gaudichaudii

Variété: *C. gaudichaudii,* de la famille des acanthacées comme l'aphelandra, le fittonia et l'irésine. Herbe tropicale rampante, cultivée en panier suspendu (vaporiser souvent) et pouvant être utilisée comme couvre-sol dans les bacs ou les gros pots où des plantes au feuillage clairsemé laissent passer la lumière jusqu'au sol. Produit des petites fleurs lavande. Lumière de moyenne à forte. Terre riche en compost, moelleuse et consistante. Ne pas laisser sécher entre les arrosages. Pour obtenir une plante fournie et garnie en son centre, réduire les nouvelles tiges du quart au tiers, au moins 2 fois par année, au début du printemps et au milieu de l'été. Multiplication par bouturage au moment de la taille.

184

CHLOROPHYTUM (Plante araignée)

Chlorophytum comosum 'Vittatum'

Chlorophytum comosum

Variétés: *C. comosum, C. comosum 'Variegatum'* et *C. comosum 'Vittatum'*, de la famille des liliacées comme l'asparagus, le lis et les sansevières. Plantes très populaires à cause de leur prolificité. Tolèrent la lumière faible, mais les feuilles deviennent fragiles et se cassent d'elles-mêmes. Préfèrent une fenêtre bien éclairée. Il n'y a pas de plantes mâles et de plantes femelles séparées. La formation de «bébés» dépend de plusieurs facteurs: l'époque de bouturage, l'âge de la bouture, la longueur des journées, la grosseur du pot et la profondeur de rempotage. Multiplication par stolons* ou par division. Dans ce dernier cas, réduire la motte avec un couteau tranchant en 3 ou 4 sections.

185

Cissus

Cissus ellendanica

Cissus discolor

Variétés: *C. antarctica* à feuilles triangulaires dentelées, *C. ellendanica* et *C. rhombifolia* à feuilles trilobées*, *C. discolor* bleu sur le dessus et mauve en dessous. Famille des vitacées comme la vigne. Plantes grimpantes munies de vrilles* pour s'accrocher. Généralement résistantes aux mauvaises conditions d'éclairage, sauf *discolor;* elles réagissent par un noircissement des feuilles à tout excès d'eau. Entre les arrosages, laisser sécher la terre qui doit être bien drainée. Les cissus aiment aussi les fenêtres ensoleillées. Quelquefois sensibles aux cochenilles. Multiplication par bouturage ou par marcottage.

Cissus rhombifolia

186

CITRUS (Citronnier et oranger calamondin)

Citrus mitis 'Variegata'

Citrus mitis

Variétés: *C. lemonia* (citron), *C. mitis* (orange), de la famille des rutacées. Arbustes portant des fleurs odorantes et des fruits comestibles très acides. Nécessitent une lumière forte, voire le plein soleil, et des arrosages fréquents. Donner du repos en hiver en réduisant la température (spécialement la nuit) et les arrosages. Tailler au printemps en réduisant les jeunes pousses de 30 à 60 %. Rempoter tous les 2 ou 3 ans dans une terre riche en sable et en compost. Si la plante perd toutes ses feuilles, la tailler à 15 cm du sol. La miniaturisation est possible à partir d'un jeune plant. Parfois sensible aux tétranyques: traiter au savon. Multiplication par bouturage (difficile) ou par semis.

CLERODENDRUM

Clerodendrum thomsonæ

Variété: *C. thomsonæ*, de la famille des verbénacées comme la verveine. Plante grimpante à feuillage dense et à floraison très attirante: le calice est blanc à reflets rosés et la corolle est rouge sang. Demande une fenêtre ensoleillée ou une serre. L'été, la mettre dehors. Tous les printemps, une taille au tiers des nouvelles tiges renforce la plante et favorise la floraison. Terre organique dans un pot passablement étroit. Arroser fréquemment si la lumière est bonne. Repos en hiver. On ne bouture que les jeunes tiges.

Clerodendrum thomsonæ

CLIVIA

Clivia miniata (fleurs)

Clivia miniata

Variété: *C. miniata*, de la famille des amaryllidacées comme l'amaryllis. Plante à feuilles vert foncé disposées comme un éventail à partir du niveau des racines. Entre mars et juin, apparaissent des fleurs orange au centre de l'éventail. Trois conditions à la floraison: une bonne lumière (pas de soleil direct) toute l'année, un repos de novembre à janvier (très peu d'eau et température autour de 10 °C) et un pot aussi petit que possible rempli d'une terre riche en compost. Multiplication par rejetons de juin à septembre. Dans un environnement à faible lumière, le clivia se comporte comme une belle plante verte.

CLUSIA

Clusia rosea

Variété: *C. rosea*, de la famille des guttifé-racées. Arbre aux feuilles très épaisses qui, dans son habitat naturel, pousse accroché aux rochers ou comme épiphyte* sur d'autres plantes. Il requiert peu de terre — un petit pot convient — pourvu qu'elle soit organique (compost et tourbe) et légère (sable, perlite, gravier). Peut se contenter de lumière faible (500 lux) au risque de perdre des feuilles, mais préfère la lumière forte. Pas plus de 1 ou 2 heures de soleil direct par jour, de préférence le matin ou le soir.

Tolère la sécheresse passagère, donc laisser sécher la terre de moitié entre les arrosages en hiver. Peut passer l'été dehors, mais risque de rentrer des cochenilles en automne. Multiplication par marcottage aérien.

CODIÆUM (Croton)

Codiæum variegatum 'Pictum' (hybride)

Codiæum variegatum pictum 'Johanna Coppinger'

Variétés: *C. punctatum 'Aureum'* et tous les hybrides de *C. variegatum 'Pictum'*, de la famille des euphorbiacées comme l'euphorbe et le poinsettia. Les crotons ne gardent leurs magnifiques couleurs que s'ils bénéficient d'une très bonne exposition à la lumière. En lumière faible, ils poussent lentement et restent verts. Les feuilles du bas tombent parfois par manque de lumière ou par excès d'eau. Laisser sécher un peu entre les arrosages. Température minimum: 15 °C.

Terre légère et moelleuse. Multiplication par bouturage ou par marcottage aérien.

191

Codiæum (Croton)

Codiæum punctatum 'Aureum'

Codiæum variegatum pictum 'Aucubæfolium'

Codiæum variegatum pictum (hybride)

Codiæum variegatum pictum (hybride)

COFFEA (Café)

Coffea arabica

Variété: *C. arabica,* de la famille des rubiacées comme le gardénia. Plante à beau feuillage vert foncé et luisant, porté par des tiges d'un blanc crème contrastant. Lorsque les conditions de lumière (forte) et d'entretien sont bonnes, des petites fleurs blanches odorantes apparaissent à la fin de l'été, suivies de fruits rouges: ce sont des grains de café. Laisser sécher légèrement entre les arrosages. Multiplication par semis ou par bouturage.

COLEUS

Coleus blumei hybride

Coleus blumei hybride

Variétés: *C. blumei* et ses hybrides, de la famille des labiacées comme le plectranthus. Plantes à feuilles très colorées et à tiges carrées. En été, les placer en pleine lumière (soleil filtré) ou dehors. Leur donner alors de copieux arrosages et les réduire de moitié pour les rendre plus fournies ou pour faire des boutures. En hiver, les mettre au frais, toujours bien éclairées et réduire les arrosages; elles perdront alors néanmoins leur bel aspect. Pour obtenir des plants pour le jardin, prélever des boutures de 10 cm en février ou en mars.

COLLIER DE PERLES: voir *Senecio herreianus.*

194

COLUMNEA

Columnea arguta

Columnea gloriosa

Variétés: *C. arguta*, *C. banksii*, *C. linearis*, *C. sanguinea* et surtout *C. gloriosa*, de la famille des gesnériacées comme la violette africaine et le gloxinia. Plantes retombantes à longues tiges couvertes de petites feuilles plus ou moins velues et dont la beauté réside dans la floraison. Les fleurs apparaissent lorsque la lumière est très bonne, à l'abri toutefois du gros soleil, et lorsque la terre, riche en compost ou en terreau de feuilles, est régulièrement arrosée. Les fleurs vont du jaune au rouge carmin. En hiver, réduire la température pour donner un repos à la plante; une sécheresse passagère ne nuit pas. Multiplication par bouturage ou par marcottage.

Columnea banksii

CORDYLINE

Cordyline terminalis 'Kiwi'

Cordyline terminalis 'Baby Doll'

Cordyline terminalis 'Black Prince'

Variétés: *C. terminalis,* la plus connue, à l'origine de nombreux hybrides. Famille des liliacées comme le lis, les dracænas, la jacinthe, etc. Plante à feuilles larges, portées en bouquet à l'extrémité de la tige, panachées de divers tons de rose et de rouge. Exige beaucoup de lumière, de la chaleur en été, de la fraîcheur en hiver (18 °C) et une terre très acide. Elle a tendance à perdre ses feuilles inférieures en hiver, mais elle est très décorative. Multiplication par bouturage ou par marcottage aérien.

COURONNE D'ÉPINES: voir *Euphorbia splendens.*

196

CRASSULA (Plante de jade)

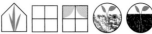

Crassula argentea

Crassula argentea 'Variegata'

Variétés: *C. argentea* et *C. argentea 'Variegata'*. Il existe plusieurs dizaines d'autres crassulas de formes et de couleurs très variées: *C. arborescens, C. cornuta, C. lycopodioides, C. perfossa, C. sarmentosa*, etc., dont

l'entretien est semblable à celui de *argentea*. Plante bien ramifiée, à feuilles épaisses et luisantes, pouvant vivre très longtemps. Exige une forte lumière, même du soleil, sans quoi elle produit des jeunes pousses étiolées et faibles. Terre sablonneuse, contenant 30 % de compost, dans un pot (en terre cuite de préférence) aussi petit que possible, compte tenu du poids de la plante. Tenir au frais, en hiver (12 à 15 °C). Laisser sécher entre les arrosages en été. En hiver, arroser dès que les feuilles montrent des signes de flétrissement. Multiplication facile par bouturage dans une terre sablonneuse.

CROIX DE FER: voir *Begonia*.

197

CROSSANDRA

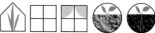

Crossandra infundibuliformis

Variété: *C. infundibuliformis,* de la famille des acanthacées comme l'aphelandra et le fittonia. Plante herbacée pouvant atteindre 75 cm de hauteur, à feuilles vert foncé et luisantes. Elle produit pendant tout l'été une floraison en épis de couleur orange très vif. Beaucoup de lumière et de chaleur pour assurer la floraison, arrosage régulier. En hiver, repos au frais et presque au sec. Tailler au printemps (du tiers ou des deux tiers). Terre riche, consistante et moelleuse. Multiplication par bouturage ou par semis.

CROTON: voir *Codiæum.*

CTENANTHE

Ctenanthe lubbersiana

Ctenanthe oppenheimiana 'Tricolor'

Variétés: *C. lubbersiana, C. oppenheimiana* et *C. oppenheimiana 'Tricolor'*, de la famille des marantacées comme le maranta. Plantes panachées vert pâle et vert foncé, avec des tons de rose pour *Tricolor*. Elles préfèrent la lumière tamisée et survivent en lumière faible. Leurs feuilles sèchent assez facilement lorsqu'il y a un déséquilibre entre les conditions de lumière et l'arrosage ou lorsque la terre manque d'acidité: le pH doit se situer entre 4,5 et 5,5. Multiplication par division.

Ctenanthe oppenheimiana

199

CUPHEA

Cuphea hyssopifolia

Variété: *C. hyssopifolia*, de la famille des lythracées. Petit arbuste à feuilles tellement minuscules qu'il a l'air d'une bruyère. Au printemps et au cours de l'été, il porte des petites fleurs roses en forme d'étoile. Pour stimuler la floraison, réduire la température et les arrosages en hiver et tailler environ le quart des jeunes tiges à la fin de l'hiver. Terre riche et plutôt sablonneuse que l'on ne laisse pas sécher entre les arrosages pourvu que la lumière soit de forte à très forte. Les températures supérieures à 25 °C nuisent à la santé de l'arbuste, été comme hiver. Multiplication par bouturage au printemps.

Cussonia

Cussonia spicata

Variété: *C. spicata*, de la famille des araliacées comme le schefflera. Plante à
feuilles très décoratives, finement dentelées et lobées. Pour l'entretien, voir
Brassaia.

Cyanotis

Cyanotis kewensis (fleurs)

Cyanotis kewensis

Variété: *C. kewensis,* de la famille des commelinacées comme le tradescantia et le rhœo. Plante retombante, cultivée en paniers suspendus, dont les petites feuilles sont vertes, recouvertes d'un duvet grisâtre à la face supérieure et brun à la face inférieure. Ne pas vaporiser. Très compacte, elle est sans doute la plus décorative et la plus facile de la famille. Lumière de moyenne à forte. Arrosage très soigné: le fond du pot, là où sont les racines, ne doit jamais être sec. Multiplication par bouturage ou par marcottage.

CYPERUS (Papyrus)

Cyperus diffusus

Variétés: *C. alternifolius, C. diffusus,* de la famille des cypéracées. Plantes originales à plusieurs égards. Grandes tiges dont le sommet est garni d'une rosette de feuilles très étroites, vertes ou panachées. Lumière forte ou plein soleil. Beaucoup d'eau qu'on peut laisser en permanence dans la soucoupe, sauf en hiver. Multiplier en coupant les rosettes dont on raccourcit les feuilles d'un tiers; on les plante dans l'eau ou dans une terre légère et humide, la tête en bas. En été, les cyperus servent de plantes aquatiques dans les jardins d'eau.

Cyperus alternifolius

DIEFFENBACHIA AMŒNA

Dieffenbachia amœna 'Golden Beauty'

Dieffenbachia amœna

Y compris les variétés: *'Tropic Snow'*, plante solide et un peu plus jaune, et *'Golden Beauty'* presque entièrement jaune, dont les feuilles tombent facilement. Famille des aracées comme le philodendron et l'aglaonema. Plantes à grandes feuilles poussant à l'extrémité d'un tronc qui ne se ramifie que s'il est taillé. Les feuilles du bas tombent au fur et à mesure que de nouvelles apparaissent, car celles-ci empêchent la lumière de passer. Lumière de moyenne à forte. Éviter les fenêtres au nord. Il est préférable de laisser sécher la terre de 20 à 40 % entre les arrosages. Sensibles aux maladies bactériennes des racines. Multiplication par marcottage aérien* si elles sont trop hautes et par bouturage.

Dieffenbachia exotica

Dieffenbachia 'Exotica Perfection'

Variété: *D. 'Exotica Perfection'* de la famille des aracées. Plantes à plus petit développement que *D. amœna*, atteignant rarement plus de 1 m. Feuilles blanches ou jaune pâle, tachetées de vert et bordées d'un vert plus foncé. Même entretien que pour *D. amœna*. Multiplication par rejetons* ou par division.

Dieffenbachia picta

Dieffenbachia picta 'Bali Hai'

Variété principale: vert foncé à points jaunes, variétés *D. picta 'Rœhrsii'* à feuilles jaune pâle bordées de vert tendre et *D. picta 'Bali Hai'*. Pour l'entretien, voir *Dieffenbachia amœna*.

Dieffenbachia picta 'Rœhrsii'

206

Autres Dieffenbachias

Dieffenbachia memoria-corsii

Dieffenbachia bausei

Dieffenbachia memoriæ

Dieffenbachia seguina 'Nobilis'

L'entretien de toutes les espèces de dief-fenbachia se ressemble. Les différences résident surtout dans la façon dont poussent les plantes. Celles qui poussent en hauteur demandent plus de lumière et se multiplient par bouturage ou par mar-cottage. Celles qui poussent en touffe sont un peu moins exigeantes et se multiplient par rejetons * ou par division.

207

Dionæa

Variété: *D. muscipulata*, de la famille des droseracées. Plante carnivore dont les feuilles sont bordées de cils qui, si 3 d'entre eux sont frôlés, provoquent la fermeture des feuilles. Bonne lumière, humidité constante des racines même en hiver lorsqu'on abaisse la température à 10 °C. Multiplication par semis, par division ou par bouturage de feuilles.

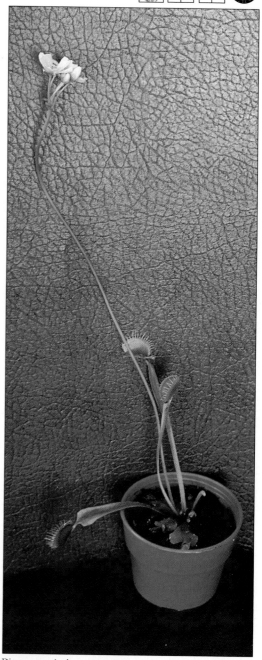

Dionæa muscipulata

Dipladenia

Dipladenia sanderii (dehors en été)

Dipladenia amœna

Variétés: *D. amœna* à fleurs roses, *D. boliviensis* à fleurs blanches, peu connue et *D. sanderii* à fleurs roses en forme de trompette. Famille des apocynacées. Plantes grimpantes à feuilles vert foncé et luisantes. Très intéressantes pour une fenêtre ensoleillée. Fleurissent beaucoup toute l'année si la lumière est abondante. Terre acide, riche en matière organique, tourbe, compost, etc., et bien drainée. Laisser sécher un peu entre les arrosages. Raccourcir les tiges du tiers ou des deux tiers au printemps. Multiplication par bouturage.

DIZYGOTHECA (Fausse aralie)

Dizygotheca elegantissima

Dizygotheca elegantissima 'Castor'

Variétés: *D. elegantissima* et ses hybrides plus compacts, panachés ou non. Famille des araliacées comme le schefflera et les lierres. Plante typique à feuilles composées, très fines, brunes et devenant plus larges avec l'âge. De port* très décoratif, elle a besoin d'une très bonne lumière, sans soleil direct, et de chaleur pour rester belle. Terre légère à base de compost; laisser sécher entre les arrosages, car l'excès d'eau lui fait perdre ses feuilles. Multiplication par semis ou par marcottage aérien.

Dracæna deremensis

Dracæna deremensis 'Bausei'

Dracæna deremensis 'White Stripe'

Famille des liliacées comme le lis, le yucca et ses hybrides. Plantes à feuilles larges plus ou moins longues, vert foncé ou vert pâle, bordées de blanc ou de jaune selon la variété. Elles résistent très bien aux conditions de faible lumière et de sécheresse passagère. Sensibles à l'anthracnose et autres maladies provoquant des taches brunes sur les feuilles. Terre légère mais consistante (compost, tourbe, perlite). Multiplication par bouturage ou par marcottage.

211

Dracæna deremensis

Dracæna deremensis 'Golden King'

Dracæna deremensis 'Janet Craig'

Dracæna deremensis 'Warneckei'

Dracæna fragrans

Dracæna fragrans 'Massangeana'

Famille des liliacées comme le lis, le yucca et ses hybrides. Plantes à feuilles longues et larges, vert foncé plus ou moins veinées de jaune. La teinte jaune diminue si la lumière est réduite. Tout à fait adaptées aux coins sombres. Laisser sécher avant d'arroser. Terre légère mais consistante (compost, tourbe, perlite). Multiplication par bouturage ou par marcottage.

Dracæna fragrans 'Victoriæ'

213

Dracæna godseffiana

Dracæna godseffiana 'Florida Beauty'

Dracæna godseffiana

Famille des liliacées comme le lis, le yucca et son hybride à feuillage plus blanc, *'Florida Beauty'*. Plante arbustive atteignant parfois 1,50 m. Peu employée en décoration pour son manque de rusticité et sa croissance lente. Elle se vend surtout comme petite plante. Bonne lumière. Terre sablonneuse et riche en matière organique. Craint la pourriture en cas d'excès d'eau. Multiplication par bouturage ou par marcottage.

Dracæna marginata

Dracæna marginata

Dracæna marginata 'Tricolor'

Famille des liliacées comme le lis, le yucca et son hybride *'Tricolor'*. Plantes dont le feuillage pousse en touffe au sommet d'une tige ligneuse. Feuilles étroites qui sèchent aux extrémités et qui tombent périodiquement. Terre légère mais consistante (compost, tourbe, perlite). Multiplication par bouturage, mais surtout par marcottage aérien*.

Dracæna marginata 'Colorama'

215

Dracæna sanderiana *et* boroquensis

Dracæna sanderiana

Dracæna boroquensis

Famille des liliacées comme le lis, le yucca et ses hybrides. Espèces à feuilles courtes, panachées de vert et de jaune pâle, montées sur une tige qui atteint rarement plus de 1 m de haut, mais qui nécessite tout de même le soutien d'un tuteur. Très bonnes pour les petits jardins. Peuvent être taillées pour stimuler la ramification. Tolèrent l'excès d'eau et la sécheresse. Bonne lumière. Terre sablonneuse et riche en matière organique. Multiplication par bouturage.

ECHEVERIA (Échévéria)

Echeveria glauco-metallica

Echeveria multicaulis

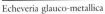

Variétés: *E. agavoides, E. crenulata, E. elegans, E. glauco-metallica, E. multicaulis, E. pallida, E. pelvinata, E. secunda,* etc., de la famille des crassulacées comme le crassula. L'apparence des multiples échévérias est très variée: feuilles plus ou moins épaisses, brillantes ou veloutées, à bord uni ou denteté, etc. Très bonne lumière, voire plein soleil. Terre légère et consistante. L'été, laisser sécher entre les arrosages; l'hiver, garder les plantes au frais (de 6 à 10 °C) et ne pas arroser plus de 1 fois toutes les 6 semaines entre novembre et mars. Multiplication par rejetons ou par bouturage.

Echeveria pelvinata

E PISCIA (Violette flamboyante)

Episcia cupreata 'Antique Velvet'

Episcia lilacina 'Haage'

Variétés: elles sont multiples, à feuillage très varié et à floraison jaune, rose, orange, rouge et blanche. Voici les espèces les plus courantes:

- E. *cupreata* et ses nombreux hybrides dont *'Chocolate Soldier'*;

- E. *dianthiflora*, aux tiges volubiles et aux fleurs à pétales dentelés;

- E. *lilacina*;

- E. *reptans* et, bien sûr, l'hybride à feuillage rose, vert et blanc: *'Pink Brocade'*.

Famille des gesnériacées comme la violette africaine (Saint-Paulia). Se cultivent surtout en jardinières suspendues. Multiplication par bouturage. Pour l'entretien, voir Saint-Paulia. Contrairement à ce que l'on croit, les épiscias tolèrent quelques heures de soleil direct par jour.

EPISCIA (Violette flamboyante)

Episcia cupreata 'Acajou'

Episcia lilacina 'Cameo'

Episcia cupreata 'Chocolate Soldier'

Episcia cupreata 'Tropical Topaze'

Episcia cupreata 'Strawberry'

Episcia wilsonii 'Pinkiscia'

EUODIA OU EVODIA

Euodia hortensis

Variété: *E. hortensis*, de la famille des rutacées comme l'oranger et le citronnier. Arbustes au feuillage odorant, très décoratif. Les feuilles sont longues et étroites, légèrement dentelées. Floraison peu spectaculaire. Ne requièrent pas une terre très riche pourvu qu'elle soit équilibrée, moelleuse et consistante. Lumière de forte à très forte. Risque de chute de feuilles assez sévère en cas de déséquilibre entre la lumière, la chaleur et les arrosages. Multiplication délicate par bouturage, en été.

Euonymus (Fusain)

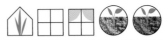

Euonymus japonicus 'Argenteo-variegatus'

Variétés: *E. japonicus* et ses hybrides à feuillage panaché plus ou moins blanc ou jaune, brillant ou mat, de la famille des célastracées. Arbustes à tiges frêles qui doivent être taillés du tiers tous les printemps pour favoriser une ramification abondante et touffue. Terre légère et consistante. Très bonne lumière; l'été, les mettre dehors. Craignent l'excès d'eau. Sensibles aux tétranyques. Multiplication par bouturage.

Euonymus japonicus 'Medio-pictus'

221

EUPHORBIA (Euphorbe)

Euphorbia pulcherrima (poinsettia)

De la famille des euphorbiacées. Particularité: la sève est laiteuse et c'est en perçant légèrement la base des tiges avec une aiguille que l'on distingue l'euphorbe du cactus. Espèces et variétés: il en existe de nombreuses dont l'apparence est très différente. Terre sablonneuse enrichie de compost. Multiplication par bouturage.

- *E. grandicornis, E. lactea, E. mammilaris, E. neriifolia, E. pseudocactus, E. trigona*, etc. Elles ressemblent toutes à des cactus et portent parfois de petites feuilles qui tombent si la sécheresse est prolongée. Plein soleil. Arrosages réguliers sauf en hiver: température de 7 à 10 °C et arrosages aux 6 semaines

Euphorbia splendens 'Bojeri'

222

EUPHORBIA (Euphorbes)

Euphorbia lactea

Euphorbia trigona

Euphorbia candelabrum

environ. Si la température hivernale est élevée, on arrose quand la terre est sèche.

- *E. tirucalli*: forme arborescente très délicate, à rameaux cylindriques et dépourvus de feuilles. Même entretien que pour les variétés précédentes.

- *E. splendens* et *E. splendens 'Bojeri'*. Il s'agit du buisson ardent qui porte en hiver des petites fleurs rouges, roses ou blanches. Si la plante est arrosée régulièrement, elle porte et garde des feuilles d'un beau vert tendre sur une tige très épineuse. On l'appelle aussi couronne d'épines. Plein soleil de préférence; l'été, la mettre dehors. Multiplication par bouturage.

- *E. pulcherrima* (poinsettia). Cette plante de Noël, vendue presque toute l'année en Europe, porte de grandes feuilles vert foncé sur une tige qui se termine par une ou plusieurs bractées* de couleur rouge, rose ou blanche. Ces bractées n'apparaissent qu'en présence des fleurs minuscules s'épanouissant au sommet de la tige. Un poinsettia doit être acheté quand les fleurs sont encore fermées. La floraison n'a lieu qu'à l'époque des jours courts. Entre février et avril, n'arroser que toutes les 6 à 8 semaines et placer au frais (8 à 10 °C). En mai, tailler aux deux tiers et arroser régulièrement après avoir rempoté dans une terre riche en compost et sablonneuse. Très bonne lumière pendant la croissance. À partir de la fin de septembre, les plantes ne doivent pas recevoir plus de 10 heures de lumière par jour afin d'avoir une chance de refleurir. Reprendre l'entretien normal dès que la couleur apparaît sur les feuilles terminales. Multiplication par bouturage en juin ou en juillet.

EUPHORBIA (Euphorbe)

1. Euphorbia trigona 'Rubra'

2. Euphorbia ammack 'Variegata'

3. Euphorbia neriifolia

4. Euphorbia tirucalli

5. Euphorbia flanaganii

6. Euphorbia splendens

Plantes 1, 2, 3, 4, 5, 7 et 8

Plante 6

7. Euphorbia acrurensis

8. Euphorbia lactea 'Cristata'

224

Fatshedera

Fatshedera lizei

Fatshedera lizei 'Variegata'

Variétés: *F. lizei* et *F. lizei 'Variegata'*, de la famille des araliacées comme le lierre et le schefflera. Le fatshedera est un hybride horticole entre le fatsia et le hedera (lierre). Ses feuilles à 5 lobes* sont plus petites que celles du fatsia et il a tendance à grimper comme le lierre. Il a besoin d'un tuteur; se ramifie très peu de lui-même, il faut le tailler. Lumière de moyenne à forte. L'été, le placer dehors. Peut supporter une sécheresse passagère. Terre riche, moelleuse et légère. Craint l'excès d'eau. Multiplication par bouturage.

225

Fatsia (Aralie japonaise)

Fatsia japonica

Variétés: *F. japonica* et *F. japonica* '*Variegata*', de la famille des araliacées comme le schefflera et les polyscias. Plante arbustive et trapue qui atteint sa plus belle apparence à maturité. Feuilles à 5 lobes qui lui valent parfois le nom d'éra-ble de maison. Lumière de moyenne à très forte, fenêtre ensoleillée. L'été, la mettre dehors. Laisser sécher la terre (riche, moelleuse et légère) entre les arro-sages. Sensible aux tétranyques. Multi-plication par bouturage.

Faucaria

Faucaria tigrina

Variété: *F. tigrina*, de la famille des aizoacées. Très jolie petite plante grasse à feuilles épaisses et bordées de petites dents inoffensives. Pour l'entretien, voir Crassula.

Fausse Aralie: voir *Dizygotheca*.

Ficus

Ficus benjamina 'Spearmint'

Ficus retusa 'Nitida'

Famille des moracées. La sève est un latex. Espèces et variétés nombreuses sous forme d'arbres ou de plantes rampantes. Elles peuvent toutes passer l'été dehors. Voici les grands groupes:

- *F. benjamina* et ses cousins, plus résistants au manque de lumière: *F. retusa*, et *F. retusa 'Nitida'*. Il existe aussi des hybrides à feuillage panaché: *F. allii* fait partie de cette catégorie. Arbres pouvant atteindre 5 m dans de bonnes conditions. On les taille au printemps pour les rendre plus touffus. Très bonne lumière de pré-férence, mais ils peuvent s'acclimater à des conditions moins avantageuses s'ils proviennent de cultures en serre. Terre riche mais légère. Arroser lorsque la terre est presque sèche, mais si la lumière est forte, maintenir la terre humide à environ 50 %. Multiplication par bouturage.

- *F. diversifolia* et une forme plus grande, *F. triangularis*. Feuilles triangulaires aux coins arrondis. Assez rares mais très décoratifs. Pour l'entretien, voir *F. benjamina*. Multiplication par semis ou par bouturage.

FICUS

Ficus elastica

Ficus elastica 'Variegata'

Ficus elastica 'Dœscheri'

- *F. elastica, F. elastica 'Decora', F. robusta, F. rubiginosa* et leurs variétés panachées. Ce sont les «plantes caoutchouc». Quand la lumière est insuffisante ou unilatérale, les feuilles du haut cachent la lumière aux feuilles du bas, qui risquent de tomber prématurément. Terre riche en humus. Pour l'entretien, voir *F. benjamina* sauf pour la taille, ici, presque inutile. Pour donner à ces plantes l'aspect d'un arbre, couper la tête d'un jeune plant quand il atteint 1,20 m de hauteur. Multiplication par marcottage.

- *F. lyrata,* appelé «fiddle-leaf» par les Anglais à cause de ses feuilles en forme de violon. Ses feuilles cassantes se tachent facilement, mais sa beauté fait oublier les inconvénients. Mêmes exigences que *F. benjamina*. Les fruits produits ne sont pas comestibles. Multiplication par marcottage.

- *F. pumila, F. radicans* et *F. radicans 'Variegata'*. Espèces grimpantes ou rampantes qui s'accrochent à leur support; préfèrent les situations très éclairées, voire ensoleillées. Cultivées aussi en paniers suspendus. Multiplication par bouturage et par marcottage.

FICUS

1. Ficus allii

2. Ficus elastica 'Decora rubra'

3. Ficus elastica 'Decora variegata'

4. Ficus robusta

5. Ficus variegata

6. Ficus diversifolia

Plantes 1 et 8

Plantes 2, 3, 4, 5, 6 et 7

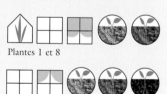

7. Ficus triangularis

8. Ficus retusa 'Nitida' (fruits)

Ficus

1. Ficus elastica 'Decora Honduras'

2. Ficus buxifolia

3. Ficus lyrata

4. Ficus benjamina

5. Ficus pumila

6. Ficus radicans 'Variegata'

Plantes 1, 2, 3, 4, 7 et 8

Plantes 5 et 6

7. Ficus cyathistipula

8. Ficus rubiginosa

FITTONIA

Fittonia verschafeltii 'Pearcei' (en fleurs)

Fittonia verschafeltii 'Pumila'

Variétés: *F. verschafeltii* (vert et rose foncé), *F. verschafeltii 'Argyroneura'* (vert et blanc), *'Gigantea'* (brun pâle et rose) et *'Pumila'* à petites feuilles vertes et blanches. Famille des acanthacées comme l'aphelandra et le crossandra. Plantes couvre-sol aussi cultivées en paniers suspendus (vaporiser souvent). Excellentes pour les terrariums. Elles tolèrent bien la lumière moyenne, mais requièrent une serre ou une forte lumière pour fleurir. Préfèrent une terre organique et acide, riche en compost et sablonneuse.

Arroser avant que la terre ne sèche. Sensibles aux pucerons. Multiplication par bouturage au moment de la taille au printemps et en cours d'été (couper du quart au tiers de la longueur).

FLEUR DE LA PASSION: voir *Passiflora*.

FUSAIN: voir *Euonymus*.

FOUGÈRES

Que de méprises à propos des fougères! Filles de l'ombre par excellence, elles reçoivent sporadiquement la caresse du soleil à travers les branches. Certaines espèces vivent même en plein soleil, mais, sous les tropiques, elles se réfugient contre les arbres où l'ombre est cependant très claire. D'où les erreurs à propos de leurs besoins.

Les fougères revêtent une apparence et des comportements très variés. Elles appartiennent à la famille des polypodiacées.

LA VÉRITÉ SUR LA LUMIÈRE

Dans les serres où les fougères sont cultivées, la lumière est généralement forte. Par conséquent, dans nos maisons, 1 ou 2 heures de soleil direct, de préférence matinal ou vespéral, ne sauraient leur nuire.

Sortant de la serre, elles sont évidemment très fournies. Avant de les installer dans la maison où l'intensité lumineuse est beaucoup plus faible, *il est recommandé mais pas obligatoire* d'éliminer jusqu'à 20 % des frondes (feuilles), avant que la diminution de la lumière ne les fasse jaunir et sécher.

EAU, TERRE ET REMPOTAGE

Si les conditions lumineuses sont bonnes, on peut maintenir la terre légèrement humide en tout temps. Sinon, il faut la laisser sécher à environ 30 % avant d'arroser.

Mise en garde

Il arrive que la terre de culture soit tellement légère qu'elle sèche tout de suite. Si d'importantes chutes de feuilles jaunes se produisent, arroser tous les 3 à 4 jours ou, mieux, rempoter la fougère dans une terre plus appropriée.

La terre doit être consistante, légère et acide, donc doit contenir du compost et de la tourbe dans une proportion d'au moins 70 %. Le reste est composé de sable, de perlite et de vermiculite.

233

Les fougères aiment les atmosphères humides. On peut toujours les vaporiser sauf les espèces à feuillage fin ou frisé. Pour connaître de meilleurs moyens d'augmenter le taux d'humidité de l'air, voir le chapitre «Aération et humidité de l'air».

Mise en garde

Au moment de rempoter, ne pas couvrir de terre le cœur d'une fougère, car c'est de là qu'émergent les nouvelles frondes. Elle en mourrait étouffée.

Platycerium alcicorne, la plus insolite des fougères d'intérieur.

FOUGÈRES

1. Phyllitis scollopendrium

2. Davalia trichomanoides

3. Driopteris erythrosoma

4. Didymochlœna trunculata

Plantes 1, 3 et 6

Plantes 4 et 5

Plante 2

5. Doodia media

6. Lanaria gibba

ADIANTUM (Capillaire)

Adiantum decorum 'Pelican'

Feuilles de Adiantum cuneatum, A. elegans, A. 'Pacific maid', A. decorum (de haut en bas).

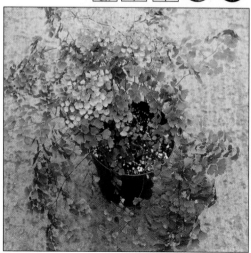

Adiantum fragrantissimum

Variétés: *A. chilense, A. cuneatum, A. decorum, A. elegans, A. fragantissimum, A. raddianum, A. tenerum.* Plantes à feuillage fin, plus ou moins compact, de 25 à 40 cm de haut. Elles survivent en lumière réduite, mais préfèrent une bonne lumière filtrée. Un peu de soleil matinal ou vespéral ne nuit pas. Terre riche en compost et en tourbe. Éviter de trop arroser les plantes situées dans les coins sombres. Température minimum en hiver: 15 °C. Multiplication par division ou par semis des spores*.

ADIANTUM (Capillaire)

Adiantum decorum

Adiantum chilense

Adiantum cuneatum

Adiantum decorum 'Ocean Spray'

Adiantum decorum 'Tuffy Tips'

Adiantum elegans

Adiantum weigandii

Adiantum tenerum

Adiantum decorum 'Pacific Maid'

Asplenium

Asplenium nidus

Asplenium nidus 'Variegatus'

Variétés: *A. viviparum* et surtout *A. nidus.* Plante à frondes* larges et fragiles, vert pâle, naissant au cœur de la plante et pouvant atteindre 1,50 m de haut. Bonne lumière, filtrée de préférence. Terre riche qu'on ne doit pas laisser sécher complètement. Température idéale en hiver: 15 °C. Multiplication difficile par semis de spores*.

Blechnum

Blechnum gibbum

Variété: *B. gibbum*. Plante très résistante.
Pour l'entretien, voir Adiantum.

Cyrtomium

Cyrtomium falcatum

Variété: *C. falcatum*. Pour l'entretien,
voir Nephrolepis.

NEPHROLEPIS

Nephrolepis exaltata

Nephrolepis exaltata 'Hillii'

Variétés: *N. exaltata* et ses nombreux hybrides, dont *'Bostoniensis'* (fougère de Boston), *'Hillii'*, *'Rooseveltii'*, *'Victoria'*, *'Whitmannii'*. Plantes à frondes* plus ou moins longues, frisées ou bouclées. Lumière réduite, moyenne ou forte; arrosage en fonction de ces conditions. Terre riche en compost, en tourbe et en vermiculite. Au rempotage, ne pas enterrer le cœur de la plante. Ne pas vaporiser les variétés frisées. Multiplication par division, par drageons* ou par semis de spores.

Nephrolepis exaltata 'Victoria'

Pellæa

Pellæa adiantoides

Pellæa rotundifolia

Variétés: *P. adiantoides, P. rotundifolia* et *P. viridis.* Plante basse à feuilles un peu luisantes, poussant en rond. Très résistante au mauvais entretien, au manque d'eau et à la lumière réduite. Convient bien isolée sur une table basse ou en mélange avec d'autres plantes. De préférence, lui donner une lumière de moyenne à forte; laisser sécher légèrement la terre avant d'arroser. Multiplication par division ou par semis de spores.

Platycerium (Corne d'élan)

Platycerium bifurcatum

Platycerium bifurcatum (spores)

Variétés: *P. alcicorne, P. bifurcatum, P. grande,* etc. Plante épiphyte* produisant 2 sortes de frondes*:

- plates et rondes à la base, retenant les racines et séchant à maturité; il ne faut pas les enlever;

- longues, horizontales, en forme de cornes et portant des spores* à la face inférieure une fois adultes.

Ces plantes tolèrent des conditions d'entretien très variées: lumière de réduite à forte, sécheresse passagère, etc. Multiplication délicate par spores*.

Platycerium bifurcatum (suspendu)

POLYPODIUM

Polypodium polycarpon 'Grandiceps'

Polypodium aureum 'Glaucum'

Variétés: *P. aureum, P. polycarpon, P. poly-podioides, P. vulgare.* Fougère épiphyte* dont les frondes* ont une forme très originale. Elles exigent beaucoup d'humidité. Pour l'entretien, voir Platycerium.

Polystichum

Polystichum aristatum

Variétés: *P. aristatum, P. setosum*. La variété *coriacæum* est utilisée par les fleuristes comme feuillage décoratif. Fougère dont l'entretien ressemble à celui du nephrolepis.

Pteris

Pteris cretica 'Albo-lineata'

Pteris compacta 'Serrulata'

Variétés: *P. cretica* et ses nombreux hybrides, *P. ensiformis, P. multifida, P. quadriaurita, P. tremula* et *P. umbrosa.* Plantes à faible développement, très décoratives, situées isolément en pots ou avec d'autres plantes. Tolèrent des conditions lumineuses de faibles à fortes. Un peu de soleil ne nuit pas. Arroser en fonction de la lumière, mais laisser toujours sécher un peu entre les arrosages. Tenir au frais en hiver (de 10 à 15 °C). Multiplication par spores.

P TERIS

Pteris tremula

Pteris umbrosa 'Berlin'

Pteris multifida 'Cristata compacta'

Pteris cretica 'Major'

Pteris cretica 'Cristata'

Pteris ensiformis 'Victoriæ'

Pteris cretica 'Parkerii'

Pteris cretica 'Wimsettii'

Pteris quadriaurita

GARDENIA

Gardenia jasminoides

Variétés: *G. jasminoides* et ses hybrides *'Fortuniana'* et *'Veitchii'*, de la famille des rubiacées comme le café. Plantes arbustives à petites feuilles vert foncé et luisantes, portant de magnifiques fleurs blanches au parfum très caractéristique; utilisées comme fleurs de corsage en fleuristerie. Le gardénia exige une forte lumière, sinon le plein soleil, une température de 18 à 30 °C en été et de 15 à 18 °C en hiver, une terre riche et acide. Garder la terre légèrement humide. Tailler les jeunes tiges du quart au tiers au printemps. Surveiller l'apparition d'insectes et traiter aussitôt. Le bouturage est délicat.

248

Gibasis (Voile de mariée)

Gibasis geniculata

Variété: *G. geniculata,* de la famille des commélinacées comme le zebrina et le rhœo. Plante retombante à petites feuilles espacées sur une tige frêle que terminent une ou plusieurs minuscules fleurs blanches. Le port en boule de la plante évoque un voile de mariée. Les fleurs s'épanouissent sous une lumière de moyenne à forte. Les feuilles du centre ont tendance à sécher. Terreau de rempotage ordinaire. Peut supporter une sécheresse de courte durée. Multiplication facile par bouturage.

Pour réussir

Pour éviter que le dessus de la plante se dégarnisse, suspendre le plus bas possible devant la fenêtre.

Glace: voir *Tradescantia* et *Zebrina.*

Gynura

Gynura procumbens

Variétés: *G. aurantiaca, G. procumbens* et *G. sarmentosa*, de la famille des composées comme la marguerite et le sénécio. Plante retombante dont les feuilles dentelées, vert foncé, sont veinées de rose foncé et couvertes de minuscules poils rose foncé. Elle a besoin d'une lumière de moyenne à forte en tout temps. Quelques heures de soleil par jour ne nuisent pas. Laisser sécher le dessus de la motte de racines avant d'arroser. Multiplication par bouturage au printemps lors de la taille (réduction des tiges d'un quart à deux tiers selon la vigueur).

Pour réussir

Pour éviter que le dessus de la plante se dégarnisse, suspendre le plus bas possible devant la fenêtre.

Haworthia

Haworthia fasciata

Haworthia subfasciata

Variétés: *H. fasciata, H. papillosa, H. reinwardii, H. subfasciata*, de la famille des liliacées. Petites plantes à feuilles rigides, en rosette et très décorées. Pour l'entretien, voir Crassula.

Haworthia reinwardii 'Kaffirdriftensis'

251

HEDERA (Lierre)

Hedera helix

Hedera helix 'Herald'

Famille des araliacées comme le schefflera et le fatsia. Il existe 2 grandes espèces cultivées commercialement. Multiplication par bouturage ou par marcottage.

- *H. canariensis:* lierre des Îles Canaries. Variétés: *'Swanberg'*, *'Variegata'* et surtout *'Gloire de Marengo'* à larges feuilles triangulaires, panachées de couleur crème et de différentes teintes de vert. Plantes grimpantes surtout cultivées en jardinières suspendues. Tolèrent une lumière de faible à moyenne, mais préfèrent une fenêtre au sud. Résistent à une sécheresse passagère tout en craignant les excès d'eau. Sujettes au brunissement des feuilles dû aux excès d'eau et sensibles aux araignées rouges. Terre riche, moelleuse et légère.

- *H. helix:* lierre. Il existe une multitude d'hybrides à feuilles vertes ou panachées, frisées, effilées, étroites, en forme de cœur, au port* plus ou moins retombant ou érigé. Peuvent passer l'été dehors et sont rustiques* en régions tempérées. Même entretien et mêmes sensibilités que *H. canariensis.*

HELXINE: voir *Soleirola.*

252

HEDERA (Lierre)

1. Hedera helix 'Scutifolia'

2. Hedera helix 'Erecta'

3. Hedera helix 'Ivalace'

4. Hedera helix 'Chicago', avec
chimère génétique blanche

5. Hedera canariensis 'Gloire de Marengo'

6. Hedera canariensis 'Swanberg'

Plantes 1, 2, 3 et 4

Plantes 5, 6 et 7

7. Hedera canariensis 'Variegata'

HEMERLIODENDRON (Pisonia)

Hemerliodendron brunonianum 'Variegatum'

La seule variété: *H. brunonianum 'Variegatum'*, de la famille des nyctaginacées comme le bougainvillée. Plante arbustive comme les crotons, à feuilles ovales panachées de jaune pâle et de plusieurs teintes de vert. Pousse lentement, même dans les meilleures conditions de luminosité. Arroser quand le fond du pot est encore humide. Terre légère et moelleuse. Attention aux araignées rouges. Multiplication par bouturage.

Hemigraphis

Hemigraphis colorata

Hemigraphis exotica

Variétés: *H. colorata* à feuilles en cœur et gaufrées et *H. exotica* à feuilles ovales, de la famille des acanthacées comme l'aphelandra. Les hémigraphis ont des feuilles rouges, argentées sur le dessus et rouge vin en dessous. Une lumière de moyenne à forte leur assure une croissance vigoureuse et une belle couleur. Terre consistante, légèrement sablonneuse, riche en compost et en tourbe. Arroser avant que la plante ne ramollisse, mais quand la terre est presque sèche. Cultivée en paniers suspendus, on la taille au printemps du quart au tiers et on la vaporise régulièrement. Multiplication par bouturage ou par marcottage.

255

HIBISCUS (Rose de Chine)

Hibiscus rosa-sinensis

Variétés: principalement *H. rosa-sinensis* et ses nombreux hybrides à fleurs simples ou doubles, roses, rouges, jaunes ou pêche. Famille des malvacées comme l'abutilon. Arbustes à fleurs en trompette qui fleurissent tout l'été et dont les organes sexuels sont en relief, ce qui facilite leur fécondation par les oiseaux tropicaux. De préférence, une lumière de forte à très forte pour empêcher la chute des boutons floraux. Terre très légère, riche, contenant du sable et du compost; il vaut mieux ne pas la laisser sécher complètement entre les arrosages. Au printemps, tailler les jeunes tiges au tiers ou aux deux tiers de leur longueur. Pour assurer une bonne floraison, la température en hiver ne devrait pas dépasser 15 °C; espacer alors les arrosages.

À éviter

Les feuilles de l'hibiscus qui ont poussé à l'intérieur sont très fragiles; elles ne supportent ni le vent, ni le soleil. Si on tient à sortir la plante pendant l'été, prendre soin de la tailler sévèrement auparavant. Les nouvelles feuilles seront parfaitement acclimatées et la floraison aura lieu rapidement. Au moment du retour à l'intérieur, l'adaptation sera probablement difficile. En cas de grave chute des feuilles, tailler à nouveau la plante, quoique moins sévèrement qu'au printemps.

HIBISCUS (Rose de Chine)

Hibiscus rosa-sinensis 'Regius maximus'

Hibiscus rosa-sinensis 'Plenus'

Hibiscus rosa-sinensis

Hibiscus rosa-sinensis

HIPPEASTRUM (Amaryllis)

Hippeastrum

Variété: *H. leopoldii,* rose, rouge ou blanc, de la famille des amaryllidacées comme le clivia et l'agave. Plantes à bulbes produisant des fleurs pouvant atteindre 20 cm de longueur à peine 2 mois après la plantation. Celle-ci se fait de janvier à mars; seule la moitié inférieure du bulbe doit être enterrée. Quand la fleur est fanée, couper sa tige et laisser les feuilles dans le pot jusqu'à la fin de l'été, soit dans la maison, soit dans un coin ombragé du jardin. Débarrasser alors le bulbe de la vieille terre, le placer dans un endroit sec, à 10 °C, jusqu'au moment de la plantation.

HORTENSIA: voir *Hydrangea.*

HOUX MINIATURE: voir *Malpighia.*

258

HOYA (Fleur de cire)

Hoya carnosa 'Variegata'

Hoya compacta 'Variegata'

Variétés: *H. bella* à petites feuilles, *H. carnosa* à feuilles ovales, vertes ou panachées, *H. compacta*, frisée à feuilles vertes ou panachées, etc. Famille des asclépiadacées comme le céropégia. Plantes à feuilles épaisses et à tiges volubiles produisant des racines aériennes. Floraison intéressante apparaissant tout l'été sur les tiges datant d'au moins 2 ans. Fleurs cireuses et légèrement parfumées qu'on laisse sécher. Ne pas les couper pour assurer les floraisons futures. Lumière forte toute l'année. En été, laisser sécher avant d'arroser. En hiver, espacer les arrosages et garder la plante, si possible, à une température de 8 à 15 °C. Sensible aux cochenilles. Bouturage ou marcottage facile au printemps.

Hoya carnosa (fleurs)

259

HOYA (Fleur de cire)

Hoya bella (avec fleurs)

Hoya carnosa 'Exotica'

Hoya purpureo-fusca

Hoya compacta

Hydrangea (Hortensia ou quatre-saisons)

Hydrangea macrophylla

Variétés: *H. macrophylla* et ses variétés de couleur rose, bleue ou blanche, de la famille des saxifragacées comme la saxifrage. Arbustes produisant des fleurs en forme de boule, offerts comme plantes d'intérieur au printemps. Après la floraison, on les taille en enlevant deux tiers des jeunes tiges. On les plante dans le jardin ou sur le balcon où ils pourront refleurir en septembre. L'hiver, dehors, on les protège des grands froids. La couleur rose apparaît si l'acidité indique un pH* supérieur à 6,5; la couleur bleue apparaît à un pH de 5 ou moins. Les jeunes boutures mettent au moins 12 mois avant de pouvoir fleurir. Ces plantes sont très exigeantes en lumière et ne tolèrent pas le manque d'eau.

HYPOCYRTA

Hypocyrta nummularia

Variété: *H. nummularia*, de la famille des gesnériacées comme la violette africaine et l'épiscia. Petite plante retombante à feuilles vert foncé et luisantes, produisant de petites fleurs orange sur les pousses de l'année. Tailler du tiers ou des deux tiers après la floraison estivale. Terre riche en compost dans un pot le plus petit possible, car cette plante est épiphyte*. La laisser reposer 8 semaines après la floraison. Beaucoup de lumière, soleil tamisé. Multiplication par division ou par boutures prélevées au moment de la taille.

Hypœstes

Hypœstes

Variété: *H. sanguinolenta,* de la famille des acanthacées comme le fittonia. Petites plantes herbacées* à feuillage vert, taché de points roses irréguliers. Lumière de moyenne à forte. Terre gardant bien l'humidité. Tailler plusieurs fois par année pour garder ces plantes fournies, sinon elles risquent de s'étioler, puis de s'affaisser. Bouturage de tête au printemps.

IRESINE (Irésine)

Iresine herbstii 'Acuminata'

Iresine herbstii 'Aureo-reticulata'

Variétés: *I. herbstii* et ses hybrides, *I. lindenii*. Famille des amaranthacées. Plante herbacée ne dépassant pas 20 cm de haut. Feuilles plus ou moins arrondies ou pointues, d'un rouge vif particulièrement attrayant. Ne présente que peu d'intérêt à long terme, car elle se dégarnit très vite. La tailler fréquemment pour la rendre fournie, sinon elle risque de s'étioler, puis de s'affaisser. Lumière forte. Ne pas laisser sécher complètement entre les arrosages. Utilisée en mosaïculture au jardin. Bouturage de tête très facile.

Iresine herbstii

264

Ixora

Ixora macrothyrsa

Variété: *I. macrothyrsa*, de la famille des rubiacées comme le café et le gardénia. Grands arbustes à larges feuilles vert foncé et à longues fleurs rose vif, groupées en larges bouquets. La floraison dure une bonne partie de l'été. Lumière de forte à très forte indispensable à la floraison et à la croissance. Terre moelleuse et consistante, riche en compost, avec tourbe et sable grossier (ou perlite). Température chaude le jour, mais fraîche la nuit, en hiver. Ajuster les arrosages en conséquence. Éviter les courants d'air. Multiplication délicate par bouturage.

JACOBINIA: voir *Pachystachys*.

JADE: voir *Crassula*.

JASMINUM (Jasmin)

Jasminum grandiflorum

Jasminum simplifolium

Gros plan de fleurs de *Jasminium illicifolium*

Variétés: *J. grandiflorum, J. nitidum, J. simplifolium, J. illicifolium,* etc., de la famille des oléacées comme l'olivier. Arbuste décoratif produisant des fleurs délicates et odorantes. Nécessite beaucoup de soleil et une température fraîche en hiver. Pour l'entretien, voir Nerium.

266

Jatropha

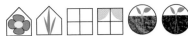

Jatropha cathartica

Variétés: *J. cathartica 'Hastata'*, de la famille des euphorbiacées comme le poinsettia. Arbuste produisant de jolies petites fleurs suivies de fruits toxiques. Pour l'entretien, voir *Euphorbia splendens*.

Kalanchœ

Kalanchœ blossfeldiana 'Tom Thumb'   Kalanchœ blossfeldiana 'Yellow Darling'   Kalanchœ blossfeldiana hybride

Famille des crassulacées.

1. Les variétés à fleurs intéressantes: *K. blossfeldiana* et ses hybrides de couleurs variées: jaune, rose ou orange. Plantes grasses formant des grappes de fleurs minuscules. Des journées de moins de 10 heures de lumière leur permettent de fleurir. Les horticulteurs y pourvoient artificiellement et produisent des kalanchœs tout l'hiver. Lumière forte et plein soleil; l'été, les mettre dehors. Arroser quand la terre, sablonneuse et moelleuse, est sèche. Craignent les chaleurs supérieures à 20 °C. Multiplication par bouturage de tête ou par semis.

2. Les variétés à feuillage intéressant: *K. daigremontiania*, *K. longiflora*, *K.* 'Fernleaf', *K. pinnata*, *K. tomentosa*, etc. Pour l'entretien, voir Crassula.

KALANCHŒ

Kalanchœ daigremontiana 'Tubiflora'

Kalanchœ longiflora

Kalanchœ tomentosa

Kalanchœ 'Fernleaf'

Lamium

Lamium galeobdolon 'Variegatum'

Variété: *L. galeobdolon*. Famille des labiacées comme le coleus. Plante retombante très vigoureuse, vendue surtout au printemps et très décorative à l'extérieur. Comme plante d'intérieur, son entretien est semblable à celui du coleus. Comme plante vivace, elle pousse très bien à l'ombre mais n'est pas rustique partout. Multiplication par bouturage ou par marcottage.

LANGUE DE BELLE-MÈRE: voir *Sansevieria*.

LARMES DE BÉBÉ: voir *Soleirola*.

LAURIER: voir *Nerium*.

LIERRE ANGLAIS: voir *Hedera helix*.

LIERRE ALLEMAND: voir *Senecio mikanioides*.

LIERRE DES ÎLES CANARIES: voir *Hedera canariensis*.

LIERRE DU CAP: voir *Senecio macroglossus*.

LIERRE SUÉDOIS: voir *Plectranthus*.

MALPIGHIA (Houx miniature)

Malpighia coccigera

Variété: *M. coccigera*, de la famille des malpighiacées. Petit arbuste à feuilles dentelées et pointues produisant de délicates petites fleurs rose pâle. Très exigeant en lumière. Terre légère, plutôt sablonneuse. À tailler tous les printemps. Se prête à l'art du bonsaï d'intérieur. Multiplication par bouturage de tête (délicat) ou par semis.

Maranta (Plante prière)

Maranta leuconeura 'Massangeana'

Variétés: *M. leuconeura 'Kerchoveana'* à points noirs et *M. leuconeura 'Massangeana'* à veines rouges, de la famille des marantacées comme le calathea. Plantes très appréciées à cause de leurs couleurs, de leur facilité d'entretien et de la particularité de la *kerchoveana* qui referme ses feuilles le soir, donnant l'impression de 2 mains jointes. Tolèrent une lumière réduite, mais préfèrent un éclairage de moyen à fort, tamisé. Terre riche en humus, légèrement acide. Craignent les excès d'eau. Multiplication par bouturage.

Maranta leuconeura 'Kerchoveana'

MISÈRE: voir *Zebrina*.

Monstera appelé à tort **Philodendron pertusum**

Monstera deliciosa 'Variegata'

Monstera pertusa

Variétés: *M. deliciosa* et *M. deliciosa 'Variegata'*, et une variété à petites feuilles trouées, *M. pertusa*. Famille des aracées comme le philodendron et l'aglaonema. Plantes grimpantes de grande ampleur, s'agrippant aux écorces grâce à des racines aériennes. Elles ont besoin d'une lumière forte et tamisée pour pousser et pour que les feuilles se trouvent comme il se doit. Si les feuilles sont pleines et petites, la plante manque de lumière. Terre riche en humus. Ne pas la laisser sécher complètement avant d'arroser. Multiplication par bouturage ou par marcottage.

Monstera deliciosa

273

Musa (Bananier)

Musa zebrina

De la famille des musacées, le bananier commun n'a du succès à l'intérieur qu'en serres ou le long d'une fenêtre ensoleillée. La variété ornementale la plus courante est *M. zebrina*, au feuillage plutôt fragile, vert moyen, bariolé de brun. Terre riche, légère et consistante. Rempotages réguliers selon la croissance de la plante. Comme elle prend des dimensions imposantes, un gros pot sera vite requis. Pour éviter le compactage de la terre, incorporer dans une proportion de 20 % soit du gravier fin, soit de la perlite, soit des billes de styromousse. Lumière forte, arrosages fréquents (sauf en hiver) et pots spacieux sont les conditions essentielles à une croissance vigoureuse. Tourner la plante sur elle-même une fois par semaine. Multiplication par drageons.

Nephtytis: voir *Syngonium*.

274

NERIUM (Laurier rose)

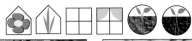

Nerium oleander 'Calypso'

Nerium oleander hybride

Variétés: *N. oleander* et ses hybrides blancs à fleurs simples ou doubles, rose pâle, rose foncé, pêche, etc. Arbustes de climat méditerranéen à feuilles étroites et vert pâle. Lumière forte, plein soleil. Bien arroser en fonction des conditions de lumière. Plantes particulièrement sensibles aux insectes. Pour une floraison abondante, tailler au printemps en enlevant du tiers à la moitié des jeunes pousses; en hiver, de novembre à février, garder la plante en pleine lumière, à 15 °C maximum, quitte à réduire les arrosages. Le laurier est une des rares plantes que l'on peut sortir au soleil en été: il s'acclimate en quelques jours. Multiplication par bouturage, avec hormones d'enracinement.

Nerium oleander (Cuba)

ORANGER: voir *Citrus.*

ORCHIDÉES

Y a-t-il quelque ressemblance entre un pissenlit et une orchidée? Oui: il faut faire exprès pour qu'ils meurent. Contrairement à certaines rumeurs persistantes, une orchidée n'est pas plus difficile à faire pousser qu'une violette, une fougère ou un cactus. Elle est seulement différente.

COPINES DE TARZAN

Ceux qui ont pénétré dans la jungle ont sûrement vu des orchidées à l'état naturel. Ces fleurs, qui intimident beaucoup par leur inénarrable beauté, poussent naturellement sur les branches des arbres tropicaux, dans une atmosphère évidemment très humide. Voici comment faire passer délicatement ces plantes épiphytes* de la forêt au salon.

DÉBUTER TRANQUILLEMENT

Quand on apprend à conduire, on ne s'installe pas tout de suite au volant d'une Formule 1. Ainsi en est-il de la culture des orchidées. Il faut avancer à petits pas. Choisissez d'abord une espèce qui fleurit assez facilement: une *Phalænopsis,* par exemple. Prenez-la rose ou blanche et achetez-la déjà en fleurs. Si vous parvenez à la faire refleurir 3, 6 ou 12 mois plus tard, c'est que vous aurez mis à sa disposition tous les ingrédients de son bonheur.

AVOIR LA FOI

Pour se familiariser avec les orchidées, il faut de l'expérience, de l'information et de la patience. Avant d'acheter un tout jeune plant — si mignon, si délicat soit-il —, sachez qu'il lui faudra de 3 à 9 ans, selon l'espèce, avant de produire sa première fleur. Une autre espèce convient aux débutants: la *Paphiopedilum.*

Si certains soins restent indispensables à l'ensemble des orchidées, chaque genre a ses petites manies, ses caprices, ses exigences. Les cattleyas, par exemple, et les genres apparentés (*Læliocattleya, Brassocattleya*), préfèrent la fraîcheur aux chaleurs torrides. Comme on ne peut pas décrire les fantaisies des 15 000 hybrides identifiés, l'orchidophile distingué devra lui-même observer les sautes d'humeur de sa collection. Une humidité ambiante d'au moins 60 % et une température moyenne de 18 à 25 °C demeurent cependant des principes de base.

LUMIÈRE, S'IL VOUS PLAÎT!

Parfumées les orchidées? Pas vraiment. Sauf certaines petites futées, comme la *Miltonia*, qui ressemble, en plus chic, à une pensée. Elle fleurit jusqu'à 2 fois par année et — croyez-le ou non — au moins 3 mois s'écoulent entre l'ouverture de la première fleur et la fermeture de la dernière. Pour que survienne le miracle, il faut de la lumière, beaucoup de lumière. L'idéal? Une fenêtre exposée à l'est ou au sud (avec un rideau pour tamiser). Dans ce dernier cas, la plante peut être placée à plus de 1 m de la vitre. Par contre, si la lumière naturelle fait défaut dans votre royaume, optez pour de l'artificielle: 4 tubes au néon feront l'affaire.

DE LA TERRE, POUR QUOI FAIRE?

Si les orchidées vivent dans les arbres au lieu de vivre au sol, c'est sans doute pour capter plus de lumière. Cette avidité de lumière a déterminé l'adaptation de leur système alimentaire à la vie aérienne. Or dans les arbres, il n'y a pas de terre. C'est tout juste si l'on trouve un peu de matière organique humide: des feuilles mortes ou des excréments d'oiseaux.

Bref, dans les airs, les racines ne sont pas utiles. Le peu de racines que possèdent les orchidées servent surtout à se cramponner. Aussi se passent-elles de terre et le pot qui les loge doit plutôt contenir de l'écorce de conifère, des billes d'argile, du liège haché, de la mousse naturelle en proportions variables selon la composition du mélange. Vermiculite, perlite et charbon de bois complètent parfois la recette. Pour encourager la floraison de vos protégées, procurez-leur du 30-10-10 en alternant avec du 10-30-20 solubles et ce, une fois par semaine pendant l'été seulement, à raison du quart de la dose recommandée.

DOIGTÉ DANS L'ARROSAGE

Soyons réalistes: il est pratiquement impossible de reproduire dans nos maisons les taux d'humidité de la forêt tropicale. Cependant, rien n'empêche d'élever le taux d'humidité de votre logement durant l'hiver — aussi bien pour votre bien-être que pour celui des plantes — soit en installant un humidificateur, soit en faisant bouillir de l'eau à intervalles réguliers, soit en laissant de l'eau s'évaporer dans des soucoupes remplies de gravier. *Pas question de vaporiser.*

Néanmoins, le plus important reste l'arrosage. Il n'est pas facile de déterminer le bon moment. Surveillez le mélange dans lequel se cramponne l'orchidée et assurez-vous qu'il soit toujours humide. Une sécheresse, même de courte durée, peut être fatale. Allez-y par tâtonnements en surveillant les réactions de votre plante.

LA VIE AU GRAND AIR

Autant pour gâter vos orchidées que pour leur donner un bon coup de pouce, sortez-les dehors du début de juin à la fin d'août. Quelle que soit l'importance de votre collection, aménagez un beau décor. Mais surtout, portez une attention toute particulière à l'abri, car il doit protéger des insectes et tamiser la lumière. Localisez cet abri du côté est ou ouest de la maison et assurez-vous que les rayons du soleil de midi ne se jettent pas directement sur vos pauvres plantes privées de leur arbre protecteur. Couvrez le haut et les côtés de l'abri avec un filet de plastique noir. Attention, l'arrosage risque d'être répété souvent.

LA GRANDE AVENTURE

Quand vous aurez apprivoisé vos premières orchidées, affrontez des espèces plus capricieuses et plus exotiques: *Cypripedium, Cimbidium, Cirrhopetalum, Dendrobium, Oncidium, Spathoglosis, Vanda,* etc. Une telle audace pourrait cependant vous conduire à construire un petit bout de serre!

Si tel est le cas, peut-être l'idée vous viendra-t-elle de cultiver une curiosité, la *Catasetum:* quand les organes mâles de celle-ci sont stimulés — par un doigt ou un insecte —, une véritable éjaculation se produit.

La multiplication commerciale des orchidées se fait par la culture de tissu. On peut diviser les plus gros plants au printemps ou au début de l'été, au moment du rempotage qui a lieu lorsque le milieu de culture est épuisé ou que le pot est trop petit.

Cattleya hybride

Encyclia

Orchidées

Vanda rotschildiana

Paphiopedilum rotschildianum

Miltonia 'California Plum'

Cirrhopetalum rotschildiana

Phalænopsis amabilis

Cimbidium hybride

Læliocattleya

Orchidées

Cimbidium hybride

Catasetum

Phalænopsis amabilis 'Summit Snow'

Phalænopsis amabilis 'Mad Manner'

Dendrobium hybride

Oncidium leucochilum

Paphiopedilum 'Son of Wonder'

PACHYPODIUM (Palmier de Madagascar)

Pachypodium lamerei

Variété: *P. lamerei*. Famille des apocynacées comme le laurier rose. Plante à tronc épineux surmonté d'une touffe de feuilles étroites et arrondies à l'extrémité. Peut atteindre 1,50 m de haut. Perd ses feuilles si elle manque d'eau. Garder plus sec en été, car elle pousse surtout en hiver. Terre sablonneuse et légère. Pleine lumière. Donne parfois des petites fleurs blanches. Multiplication par semis.

Pachystachys (Jacobinia)

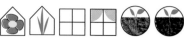

Pachystachys lutea

Variété: *P. lutea*. Famille des acanthacées comme l'aphelandra, le fittonia et la bélopérone. Plante arbustive qui porte, de mars à septembre, un épis jaune à l'extrémité de presque toutes les jeunes pousses. Cet épi est constitué de bractées* qui s'ouvrent à maturité pour laisser passer de longues fleurs blanches tubulaires. Ces fleurs sortent à intervalles réguliers durant quelques jours. Mais les bractées restent jaunes pendant plusieurs semaines. Comme la floraison n'apparaît que sur les jeunes tiges, il faut tailler. Rabattre toutes les tiges principales à 25 cm du sol, fin février. Éliminer les tiges frêles au fur et à mesure qu'elles apparaissent. Lumière forte à très forte, mais pas de soleil direct sauf tôt le matin ou tard le soir. Excellente plante de serre. En hiver, garder la température, au moins la nuit, entre 10 et 15 °C. Au printemps, éliminer un peu de la vieille terre sur le dessus et le dessous de la motte, puis ajouter au fond du pot un mélange de terre riche en compost. Multiplication par bouturage.

Palmier de Madagascar:
voir *Pachypodium.*

PALMIERS

Les palmiers évoquent les tropiques, donc la chaleur, les voyages, les vacances et l'exotisme. Voilà sans doute les raisons pour lesquelles ce sont des plantes très recherchées. Et ce n'est pas parce que les attentes des jardiniers dépassent souvent leurs performances qu'il faut les voir comme des fauteurs de troubles. Un peu d'attention peut quelquefois raviver leur puissance de séduction.

EXIGENCES: CHACUN POUR SOI

Les palmiers ont des exigences qui varient beaucoup d'une espèce à l'autre. Certains poussent naturellement dans des endroits humides, d'autres se plaisent dans des sols plutôt arides. Tous adorent le soleil mais selon une intensité variable et, à l'intérieur, quelques-uns arrivent à bien se comporter dans des conditions lumineuses déficientes.

PARASITES GOURMANDS

Un point commun à la plupart des espèces: quand un insecte se promène dans les environs, elles l'attrapent et c'est le début d'une longue bataille. Voilà l'une des raisons qui justifient de ne pas sortir les palmiers dehors pendant l'été. Le retour à la maison serait en effet très pénible, pour la plante et pour le jardinier. D'ailleurs, quand un palmier est infesté, il est préférable de le détruire plutôt que de s'acharner contre des insectes avides de leur sève qui, à cause d'une certaine accoutumance aux produits, ne sont pas prêts à abandonner leur proie au moindre jet d'insecticide.

TÊTES SENSIBLES

Les palmiers ne repoussent pas quand on leur coupe la tête. La taille est donc un mot qui ne figure pas dans leur vocabulaire. Lorsqu'un pauvre malheureux palmier touche le plafond — ce qui reste tout de même très rare — le jardinier fait face aux choix suivants: le décapiter et risquer de le perdre à moyen terme, le donner à une serre qui pourra abriter ses élans vers le ciel, éliminer tout simplement ce spécimen trop vigoureux.

Voilà donc pourquoi, d'une part, il vaut mieux choisir une espèce à croissance lente quand on a un plafond bas et, d'autre part, remercier le ciel quand la croissance de la plante choisie ne dépasse pas 10 cm par année.

ARECA: voir *Chrysalidocarpus.*

CARYOTA (Palmier à queue de poisson)

Caryota mitis

Variété: *C. mitis*. Palmier dont l'extrémité des feuilles triangulaires ressemble à la queue d'un poisson. Très décoratif mais pas très vigoureux dans les conditions difficiles de nos maisons. La plante produit des drageons*. Beaucoup de lumière. Ne pas laisser sécher complètement la terre entre les arrosages. Pour éviter d'abîmer la plante, la placer dans un espace où elle ne risque pas d'être bousculée. Multiplication par division.

CHAMÆDOREA (Palmier nain)

Chamædorea elegans 'Bella'

Variété: *C. elegans 'Bella'*. Palmier ne dépassant pas 1,25 m. Très apprécié comme plante de table ou en massif parmi d'autres plantes. S'accommode assez bien des coins sombres (750 lux), mais préfère la lumière forte. Arroser seulement quand le fond du pot est encore légèrement humide. Sensible aux acariens. Éloigner des sources de chaleur en hiver. Multiplication par semis et par division.

CHAMÆDOREA (Palmier bambou)

Chamædorea seifritzii

Chamædorea erumpens

Variétés: *C. erumpens* et *C. seifritzii*. Peuvent atteindre 2 à 3 m dans nos maisons; on ne taille aucun palmier, rappelons-le. Adaptés aux endroits peu éclairés qui déterminent alors le rythme d'arrosage. Préfèrent la bonne lumière. Ne pas rempoter dans un trop grand pot. Assez peu sensibles aux araignées rouges. Laisser sécher entre les arrosages. Multiplication par semis, par division ou par rejetons.

Chamærops

Chamærops humilis (fleurs)

Variété: *C. humilis.* Palmier à feuilles en éventail, dont le tronc pousse très lentement. Les feuilles du bas tombent quand les nouvelles apparaissent. Très décoratif mais peu répandu. Des températures variant de 12 à 25 °C favorisent sa croissance. Résiste bien à une sécheresse temporaire. L'été, le mettre dehors; exige une bonne lumière. Multiplication difficile et lente par semis.

Chamærops humilis

CHRYSALIDOCARPUS (Areca)

Chrysalidocarpus lutescens (areca)

Variété: *C. lutescens*. Palmier à feuilles vert pâle et aux tiges jaunes mouchetées de brun pâle. Très répandu à cause de ses grandes feuilles arquées légèrement retombantes. Survit mal sous une faible lumière. Laisser sécher un peu avant d'arroser la terre. Particulièrement sensible aux acariens. En cas d'infestation, même légère, on le traitera toutes les 2 semaines pendant les 3 premiers mois de son adaptation, avec un savon insecticide. Multiplication par semis et parfois par division.

CYCAS

Cycas revoluta

Variété: *C. revoluta,* de la famille des cycadacées, proches des palmiers. Plante à croissance lente, à feuilles très rigides, divisées comme une plume. L'entretien ressemble à celui des caryotas. Multiplication par semis.

Cycas revoluta (à Cuba)

Howea (Kentia)

Howea forsteriana

Variété: *H. forsteriana*. Palmier à feuilles très longues et gracieuses, d'un beau vert foncé. Très résistant aux conditions minimales de lumière. Préfère une bonne exposition et une terre légère, sablonneuse, qu'on laissera sécher un peu avant d'arroser. Sa croissance lente justifie son prix élevé. Multiplication par division ou par semis.

LIVISTONA

Livistona chinensis

Variété: *L. chinensis.* Il faut de l'espace pour faire pousser ce palmier très décoratif. Feuilles profondément palmées, plus larges que longues (jusqu'à 2 m de diamètre), légèrement plissées comme des éventails. Lumière de moyenne à forte, bien qu'il tolère une lumière faible passagère. Terreau léger, pas trop riche, composé aux deux tiers de terre de jardin équilibrée et de tourbe. Pour empêcher le compactage, incorporer une bonne dose de perlite ou de billes de styromousse. Les feuilles du bas tombent naturellement au fur et à mesure que naissent les nouvelles. En hiver, maintenir une bonne humidité autour de la plante et arroser seulement pour la garder en vie. Multiplication délicate par semis.

Phœnix (Palmier dattier)

Phœnix canariensis

Phœnix rœbellini

Variétés: *P. canariensis,* à feuilles rigides et pointues, *P. rœbellini* à feuillage très délicat et souple. Palmier à tronc au sommet duquel poussent de longues feuilles vert pâle, recouvertes naturellement d'une sorte de poussière grise. Les feuilles du bas tombent naturellement, laissant le tronc dégarni. Préfère une bonne lumière, mais tolère les coins sombres. Ne pas laisser sécher la terre complètement entre les arrosages. Rempotage presque inutile pour les plantes adultes. Multiplication par semis.

Rhapis

Rhapis excelsa

Variété: *R. excelsa*. Plante à tronc mince, garni de poils bruns. Feuilles divisées, de 3 à 10 segments. Très décorative. Pour l'entretien, voir Howea.

THRINAX

Thrinax microcarpa

Variété: *T. microcarpa*. Palmier à croissance lente dont les feuilles ressemblent à celles du livistona, légèrement grisâtres sur le dessus. Prend beaucoup de place à l'âge adulte, donc difficile de le conserver devant une fenêtre, d'autant plus qu'il a besoin de lumière forte pour pousser harmonieusement. La serre devient alors la seule solution de survie. Tenir loin du soleil direct en été. Terreau léger, pas trop riche, composé aux deux tiers de terre de jardin équilibrée et de tourbe. Pour empêcher le compactage, incorporer une bonne dose de perlite ou de billes de styromousse. En hiver, arroser seulement pour maintenir la plante en vie. Les feuilles du bas tombent naturellement au fur et à mesure que naissent les nouvelles. Multiplication délicate par semis.

Trachycarpus

Trachycarpus fortunei

Variété: *T. fortunei*. Palmier très rustique, à croissance lente, résistant à des gelées légères. Cultivé dans les jardins en Europe, il peut aussi, parfois, résister au froid de l'Amérique du Nord à condition d'être résolument protégé par de la laine minérale et un épais paillis sur les racines. Les risques de gel augmentent avec l'âge (et la hauteur) et la protection devient plus complexe. À l'intérieur, lumière de forte à très forte, en serre de préférence.

Terreau léger, pas trop riche, composé aux deux tiers de terre de jardin équilibrée et de tourbe. Pour empêcher le compactage, incorporer une bonne dose de perlite ou de billes de styromousse. Les feuilles du bas tombent naturellement au fur et à mesure que naissent les nouvelles. En hiver, arroser seulement pour garder la plante en vie. Multiplication délicate par semis.

Zamia

Zamia floridana

Variétés: *Z. floridana* et *Z. furfuracea*, de la famille des cycadacées proches des palmiers. Plantes à feuilles rigides, luisantes, divisées comme des plumes et repliées vers le haut de chaque côté de la veine centrale. Pour l'entretien, voir Caryota. Très résistantes à la sécheresse passagère. Supportent bien le plein soleil. Multiplication par semis.

Zamia furfuracea

PANDANUS

Pandanus veitchii

Variétés: *P. utilis* (vert) et *P. veitchii* (panaché), de la famille des pandanacées dont il est un des rares représentants. Plante dont l'apparence générale rappelle celle des bromélias. Très résistant à toutes sortes de traitement, le pandanus préfère une bonne lumière tamisée et craint la sécheresse prolongée. Une température fraîche lui est favorable en hiver. À l'âge adulte, il se lève de terre par la force de ses racines. Le replanter alors dans un pot plus grand. Multiplication par division.

PARTHENOCISSUS

Parthenocissus quinquefolia 'Vittacea'

Parthenocissus quinquefolia 'Vittacea'

Variété: *P. quinquefolia 'Vittacea'*, de la famille des vittacées comme le cissus. Vigne très vigoureuse des régions subtropicales, dont les feuilles comportent 5 lobes profondément dentelés. Cultivée en paniers suspendus de préférence assez bas, car elle aime la fraîcheur. C'est pourquoi, d'ailleurs, il est parfois difficile de la conserver en bon état pendant l'hiver. Pendant la saison froide, maintenir la température, au moins durant la nuit, autour de 12 °C. *Il est recommandé mais pas obligatoire* de réduire les jeunes tiges de moitié tôt au printemps et au cours de l'été. Bouturer à ce moment-là. On peut aussi multiplier la plante par marcottage.

PASSIFLORA (Passiflore ou fleur de la Passion)

Passiflora racemosa

Passiflora cærulea

Variétés les plus connues: *P. alto-cærulea,* rose et bleu, *P. cærulea,* blanche et bleue et *P. racemosa,* rose foncé et mauve, de la famille des passifloracées. Plante grimpante s'accrochant à l'aide de vrilles* et produisant de magnifiques fleurs, légèrement parfumées, dont la constitution botanique rappelle celle de la Passion du Christ. Plante exigeant une forte luminosité, idéale pour une serre ou une fenêtre ensoleillée. Fleurit tout l'été. Ne doit pas être changée de place pendant la floraison. Température fraîche et arrosages espacés en hiver. En été, la plante ne doit jamais manquer d'eau. Multiplication par boutures prélevées au moment de la taille printanière: réduction des tiges d'environ la moitié ou des trois quarts.

Passiflora alto-cærulea

PELLIONIA

Pellionia daveauana

Pellionia pulchra

Variétés: *P. daveauana*, à feuilles en pointe, brunes et vert pâle et *P. pulchra*, à feuilles ovales vertes à veines* brunes. Famille des urticacées comme le soleirola et le pilea. Plantes rampantes cultivées en paniers suspendus ou comme couvre-sol. Lumière de moyenne à forte. Une terre riche, sablonneuse et bien drainée est essentielle. Laisser sécher légèrement entre les arrosages. Vaporiser les paniers suspendus par temps sec. Tailler au printemps: couper de moitié les jeunes tiges. Multiplication par bouturage ou par marcottage.

PEPEROMIA

Peperomia orba

Peperomia sandersii

Peperomia metallica

Famille des pipéracées. De nombreuses variétés sont classées arbitrairement en 4 groupes d'après leur forme générale. Les pépéromias nécessitent une lumière de moyenne à forte; ce sont des plantes qui aiment la chaleur. Riche et sablonneuse, la terre doit absolument sécher entre les arrosages. Tolèrent une sécheresse passagère, mais pourrissent en cas d'excès d'eau.

1. **Espèces en touffe, sans tige:** *P. caperata, P. cordata, P. cordifolia, P. cupreata, P. griseo-argentea* et *P. sandersii.* Plantes très intéressantes isolées ou dans un groupe. Floraison apparaissant sur des cannes blanches. Multiplication par division ou par bouturage de feuilles.

2. **Espèces naines à petites feuilles pointues:** *P. fosteri, P. metallica* et *P. orba.* Très utilisées dans les jardins miniatures. Multiplication par bouturage des tiges.

3. **Espèces retombantes:** *P. glabella, P. scandens, P. viridis.* Plantes à feuilles de couleur verte, possédant des variétés à feuillage panaché vert et jaune. Multiplication par bouturage et par marcottage.

4. **Espèces à grosses feuilles:** *P. clusiæfolia, P. incana, P. magnoliæfolia, P. obtusifolia* et *obtusifolia 'Variegata'.* Plantes à tiges gorgées d'eau et ramifiées. Elles ont tendance à se coucher une fois adulte. Pour compenser cette tendance, on taille régulièrement et on transfère les plantes dans des paniers suspendus. Multiplication par bouturage des tiges et par marcottage.

5. **Espèce miniature:** *P. rubella* à tiges rouges.

PERTUSUM: voir *Monstera.*

301

PEPEROMIA

Peperomia magnoliæfolia 'Variegata'

Peperomia clusiæfolia

Peperomia cupreata

Peperomia griseo-argentea

302

PEPEROMIA

1. Peperomia fosteri

2. Peperomia glabella 'Aureo-variegata'

3. Peperomia incana

4. Peperomia cordifolia

5. Peperomia rubella

6. Peperomia resedæflora

Plantes 1, 2 et 7

Plantes 3 et 8

Plantes 4, 5 et 6

7. Peperomia viridis

8. Peperomia polybotrya

PEPEROMIA

1. Peperomia caperata

2. Peperomia bicolor

3. Peperomia caperata 'Argenteo Maculata'

4. Peperomia glabella

5. Peperomia magnoliæfolia

6. Peperomia obtusifolia 'Variegata Marginata'

PHILODENDRON

Philodendron hastatum

Famille des aracées comme le dieffenbachia et le pothos. À part le *P. selloum* (à feuilles en forme de main) qui nécessite beaucoup d'espace, la plupart des philodendrons sont des plantes vraiment grimpantes: *P. cordatum* (ou *oxycardium*) à petites feuilles en forme de cœur, *P. micans* semblable à *cordatum* mais brun avec un petit duvet, *P. hastatum* et ses hybrides *'Burgundy'*, *'Emerald Queen'* et *'Maculatum'* à feuilles en forme de fer de lance, *P. panduræforme* à feuilles trilobées. *P. pertusum* est étudié sous le nom de *Monstera deliciosa*. Les philodendrons préfèrent la lumière de moyenne à forte, mais ils peuvent tolérer des conditions plus réduites. Dans ce cas, pour garder l'apparence originale de la plante et pour éviter l'étiolement, on élimine les jeunes pousses dès qu'elles apparaissent. Arroser quand la terre est encore un peu humide au fond du pot. Les philodendrons sont cultivés en paniers suspendus ou attachés à un tuteur; on les taille sévèrement tous les 3 ans pour les rajeunir. Multiplication par bouturage.

PIED D'ÉLÉPHANT: voir *Beaucarnea*.

PHILODENDRON

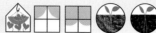

Philodendron cordatum

Philodendron micans

Philodendron hastatum 'Maculatum'

Philodendron selloum

Philodendron 'Xanadu'

PILEA

Pilea grandis

Pilea spruceana 'Silver Tree'

Famille des urticacées comme les pellionias. Se multiplient toutes par bouturage. Il existe 2 formes différentes.

1. **Espèces naines et dressées:** *P. cadierei* (plante aluminium), *P. grandis* (feuilles gaufrées, vert pâle et brunes), *P. involucrata* (feuilles brun foncé et argentées) et sa variété 'Norfolk', *P. spruceana* et sa variété 'Silver Tree'.

2. **Espèces retombantes:** *P. depressa* (petites feuilles concaves et luisantes), *P. microphylla* (à feuilles minuscules), *P. nummularifolia*, *P. repens* et *P. serpillacea* à petites feuilles rondes très décoratives.

Toutes les pileas aiment la lumière de moyenne à forte, une terre sablonneuse et riche. Elles préfèrent être arrosées quand la terre est presque sèche. Tailler leurs extrémités 2 ou 3 fois par année selon la vigueur. Multiplication par bouturage. Floraison originale, mais peu spectaculaire.

PIN DE NORFOLK: voir *Araucaria*.

PISONIA: voir *Hemerliodendron*.

307

Pilea

1. Pilea cadierei

2. Pilea depressa

3. Pilea involucrata 'Norfolk'

4. Pilea microphylla

5. Pilea nummularifolia

Plantes 1 et 3

Plantes 2, 4, 5, 6 et 7

6. Pilea panamiga

7. Pilea repens

Pittosporum

Pittosporum tobira 'Variegata'

Pittosporum tobira

Variétés: *P. tobira* et *P. tobira* '*Variegata*', de la famille des pittosporacées. Arbuste à bois dur, à feuilles ovales vert foncé ou panachées. De croissance très lente, il est recherché pour les lignes originales que prennent ses branches. On peut facilement le miniaturiser. Lumière de moyenne à plein soleil; l'été, le placer dehors. On arrose quand la terre est sèche. Il est une proie facile des insectes. Multiplication par bouturage de jeunes tiges.

PLANTE ALUMINIUM: voir *Pilea cadierei*.

PLANTE ARAIGNÉE: voir *Chlorophytum*.

PLANTE CHENILLE: voir *Acalypha*.

PLANTE CREVETTE: voir *Beloperone*.

PLANTE DE JADE: voir *Crassula*.

PLANTE MÉDECINE: voir *Aloe*.

PLANTE OMBRELLE: voir *Brassaia*.

PLANTE PARAPLUIE: voir *Brassaia*.

PLANTE PRIÈRE: voir *Maranta*.

PLANTE ZÈBRE: voir *Aphelandra*.

Plectranthus

Plectranthus australis 'Œrtendahlii'

Plectranthus australis

Variétés: *P. australis, P. australis 'Variegata', P. œrtendahlii*. De la même famille que le coleus, ces plantes retombantes, à feuilles rondes aux rebords crénelés, sont très populaires en paniers suspendus. La floraison printanière n'apparaît que lorsque la lumière est bonne tout le reste de l'année. Lumière moyenne à forte. Dépérissement rapide en lumière faible. La plante ramollit et pâlit quand elle manque d'eau, mais il est préférable d'arroser quand le dessus de la terre est sec. Tailler les jeunes pousses de moitié en avril et en juillet. Multiplication par bouturage de tête.

Plectranthus australis 'Variegata'

PLEOMELE

Pleomele reflexa 'Song of India'

Pleomele thalioides

Trois espèces d'apparence très différente:

1. *P. reflexa*, très décorative, à feuilles de 10 cm de longueur sur une tige nécessitant souvent un tuteur quand elle dépasse 1 m de hauteur. Sauf bien sûr si l'on coupe l'extrémité de la tige pour qu'elle se ramifie. Il existe 2 variétés à feuilles panachées de jaune: *'Song of India'* et *'Song of Jamaïca'*.

2. *P. thalioides*, à feuilles en forme de fer de lance, poussant en touffe, très résistante aux environnements difficiles et tolérant bien la lumière faible.

3. *P. honoraï*, à longues feuilles étroites, rubannées, panachées* et retombantes, sur une tige aussi mince que celle de *P. reflexa*. Elle est très sensible aux excès d'eau.

De la même famille que les dracænas ou les sansevières, les pléomèles ont une préférence marquée pour une lumière de moyenne à forte. Elles sont sensibles aux acariens. Arroser quand la terre est sèche ou presque. Multiplication par bouturage ou par marcottage aérien.

Pleomele

Pleomele honoraï

Pleomele reflexa (fleurs)

Pleomele reflexa

Pleomele reflexa 'Song of Jamaïca'

P<small>ODOCARPUS</small>

Podocarpus macrophyllus

Variétés: *P. elatus* (pleureur) et surtout *P. macrophyllus,* de la famille des podocarpacées. Conifère à feuillage étroit, gracieux et vert foncé. Très intéressant pour un petit jardin ou un terrarium. Lumière de moyenne à très forte. Arroser quand la terre (légère et consistante) est presque sèche. Se ramifie de lui-même. Multiplication par bouturage et par semis. Facile à entretenir et à miniaturiser.

P<small>OINSETTIA</small>: voir *Euphorbia pulcherrima.*

Polyscia (Aralie)

Groupe de polyscias.

Variétés: *P. balfouriana, P. filicifolia, P. fruticosa, P. guilfoylei, P. paniculata* et leurs nombreuses variétés plus ou moins panachées. Plantes à bois dur mais flexible, dont les tiges peuvent suivre des lignes très originales en se recourbant soit sous leur propre poids, soit artificiellement. Elles peuvent être miniaturisées. Elles perdent facilement leurs feuilles mais en produisent d'autres tout aussi facilement. Lumière de moyenne à forte. Laisser sécher entre les arrosages. Sensibles aux acariens et à la rouille. Tailler légèrement une fois par année. Les polyscias craignent les apports fréquents d'engrais soluble. Une bonne terre riche et consistante leur suffit amplement. Multiplication par bouturage.

Polyscia fruticosa 'Ming'

POLYSCIA (Aralie)

Polyscia fruticosa (fleurs)

Polyscia fruticosa 'Ming' (fleurs)

Polyscia fruticosa 'Elegans'

Polyscia paniculata

Polyscia fruticosa 'Parsley'

Polyscia paniculata 'Variegata' (miniature)

Polyscia hybride 'Fabien'

Polyscia paniculata 'Aureo-variegata' (Cuba)

315

Polyscia (Aralie)

Polyscia guilfoylei 'Quinquefoliæ'

Polyscia balfouriana 'Pennockii'

Polyscia guilfoylei 'Victoriae'

Polyscia guilfoylei

Polyscia filicifolia

Polyscia fruticosa

Polyscia hybride

316

Portulacaria

Portulacaria afra

Portulacaria afra 'Variegata'

Variétés: *P. afra* et *P. afra 'Variegata'* (panaché), de la famille des portulacacées comme le pourpier. Plante grasse qui ressemble au crassula arborescent. Petites feuilles épaisses et opposées sur des tiges brunâtres. Plante bien ramifiée et de longue durée. Exige une forte lumière, voire du soleil, sans quoi de jeunes pousses étiolées et faibles menacent d'affaiblir la plante. Terre sablonneuse dans un pot (en terre cuite de préférence) aussi petit que possible, compte tenu du poids de la plante. Tenir au frais en hiver et laisser sécher entre les arrosages. Multiplication par bouturage, dans un pot de culture rempli de terreau sablonneux.

Pothos: voir *Scindapsus*.

317

PSEUDERANTHEMUM

Pseuderanthemum atropurpureum 'Tricolor'

Variétés: *P. alatum* et *P. atropurpureum 'Tricolor'*, de la famille des acanthacées comme l'aphelandra. Plante à feuillage décoratif et coloré de brun ou de rouge. Pour l'entretien, voir Fittonia.

R<small>HŒO</small> (Berceau de Moïse)

Rhœo spathacea 'Vittata'

Variétés: *R. spathacea* et sa variété *'Vittata'*, de la famille des commelinacées comme le tradescantia et le zebrina. Plante à courte tige, servant de couvre-sol sous les tropiques, portant des feuilles épaisses et allongées, vertes ou panachées sur le dessus et rouge bourgogne en dessous. Elle résiste à toutes sortes de conditions lumineuses, à la sécheresse passagère et elle s'accommode de terres assez pauvres. L'été, la mettre dehors, dans la rocaille. De petites fleurs apparaissent à la base des tiges dans des sortes de berceaux. Multiplication par drageons.

R<small>OSE DE</small> C<small>HINE</small>: voir *Hibiscus.*

319

Ruellia

Ruellia strepens

Variétés: *R. amœna, R. strepens* et surtout *R. makoyana,* de la famille des acantha-cées comme le fittonia et le crossandra. Plante basse herbacée produisant des fleurs rose foncé. Doit être taillée 2 ou 3 fois par année pour rester fournie: réduire les nouvelles pousses de moitié. Pour l'entretien, voir Beloperone. Multi-plication par bouturage.

Ruellia makoyana

SAINT-PAULIA (Violette africaine)

Il existe une grande quantité de variétés et d'hybrides. Seules les variétés résistantes sont cultivées commercialement. Famille des gesnériacées comme l'épiscia et la columnea. Ces plantes, poussant en rosettes, produisent des fleurs de toutes les couleurs tout au long de l'année avec cependant quelques périodes de repos.

CE BON VIEUX SOLEIL

Pour toute la famille de la violette, le premier problème à régler, c'est la lumière. Une fenêtre bien éclairée (sud, sud-est, sud-ouest) pendant environ 12 à 16 heures par jour est un gage de succès. Quelques rayons de soleil sur les feuilles ne les fera pas griller, mais il est préférable néanmoins qu'un mince rideau en atténue l'ardeur, au moins entre mai et septembre. Les fanatiques qui participent à toutes sortes de concours vous conseilleront cependant de tourner chaque plante sur elle-même une fois par semaine pour qu'elle pousse régulièrement.

LES JOIES DU FLUO

Quand on n'a pas de fenêtre bien exposée, on peut s'adonner à la passion des violettes sous néon. Deux tubes situés à 10 ou 15 cm au-dessus des plantes peuvent donner d'excellents résultats. Bizarrement, dans un sous-sol où l'éclairage est contrôlé (14 à 16 heures par jour), de même que la température (20 à 24 °C), on obtient souvent de meilleurs résultats que près d'une fenêtre. La raison est simple: les violettes n'étant pas soumises aux caprices du soleil, on peut facilement maîtriser l'arrosage et la croissance.

L'ARROSAGE: DÉTRUISONS DES MYTHES

Arrose-t-on par en haut ou par la soucoupe? Aucune importance. De l'eau sur les feuilles? Si c'est de l'eau tiède, aucune conséquence. En effet, on arrose à l'eau tiède, ou, tout au moins, à la température de la pièce. En été, arrosez à l'arrosoir, dès que le dessus de la terre commence à sécher; en hiver, attendez que la terre sèche presque complètement. Les violettes sont résistantes à une sécheresse passagère et un peu de misère a le don de stimuler leur floraison.

Pour vous faciliter la tâche

L'arrosage idéal consiste à installer une mèche de coton dans la terre et de la faire ressortir de 10 à 20 cm par un trou du pot. Puis on pose le pot de culture dans un pot décoratif (de faïence ou autre) à moitié rempli d'eau et dont le diamètre empêche le pot de culture de descendre jusqu'au fond. Il suffit alors de laisser tremper la mèche dans l'eau, de changer l'eau toutes les 2 semaines et d'y ajouter, pour stimuler la floraison en été, un engrais soluble, genre 15-30-15. Résultat: les racines boivent au besoin et disposent d'un surplus alimentaire quand le compost contenu dans la terre s'est trop appauvri.

TOUTES RACES CONFONDUES

Il existe une multitude de violettes africaines. À feuillage vert, vert et jaune, ou vert et rose, à feuilles plus ou moins ondulées sur le pourtour, à fleurs blanches, bleues, roses, mauves, violettes, etc. Il y en a même des retombantes que l'on cultive en paniers suspendus. Et puis, il y en a des miniatures qui font le ravissement des amateurs. Toutes peuvent être taillées pour stimuler la floraison, mais attention: c'est la couronne de feuilles extérieures que l'on enlève, pas les jeunes feuilles du centre.

La terre doit être riche en compost, acide, moelleuse et légère. Essayer un mélange composé, pour une moitié, de tourbe et, pour l'autre moitié, d'un mélange de compost et de terre sablonneuse. Rempoter les plantes adultes tous les 3 ans.

Multiplication facile par boutures de feuilles et par semis des variétés rares. Prélever les boutures en enlevant la couronne de feuilles extérieures.

Pour vous distinguer

Les plantes les plus vieilles, dont la tige est longue et vacillante, peuvent être rajeunies facilement. Couper la tige dégarnie à la moitié de sa longueur et en faire tremper la base dans une petite assiette creuse contenant 3 à 5 cm d'eau. Empoter la nouvelle plante quand les racines ainsi formées ont plusieurs centimètres de longueur.

Les racines se forment dans l'eau, sur la vieille tige dégarnie.

SAINT-PAULIA

Groupe de Saint-Paulia

Saint-Paulia 'Desert song'

Saint-Paulia 'Alouette'

Saint-Paulia 'Blazing Trail'

Saint-Paulia 'Capricio'

SANSEVIERIA (Sansevière, langue de belle-mère)

Sansevieria trifasciata 'Laurentii'

Sansevieria zeylanica 'Futura' (fleurs)

Variétés: *S. cylindrica, S. trifasciata* (longue et verte), *S. trifasciata 'Laurentii'* (longue et bordée de jaune), *S. trifasciata 'Hahnii', 'Golden Hahnii'* (en rosette), *S. zeylanica.* Famille des liliacées comme le lis et la jacinthe. Plantes à feuilles épaisses, résistant bien à toutes sortes de conditions de lumière, de terre et d'arrosage. Elles préfèrent la grande lumière et une sécheresse passagère. Multiplication par division et par bouturage.

Sansevieria trifasciata 'Hahnii'

SANSEVIERIA (Sansevière, langue de belle-mère)

Sansevieria trifasciata 'Golden Hahnii'

Sansevieria trifasciata

Sansevieria cylindrica

Sansevieria zeylanica

SAXIFRAGA (Saxifrage)

Saxifraga sarmentosa

Saxifraga sarmentosa 'Tricolor'

Variétés: *S. sarmentosa* (verte à veines rouges), *S. sarmentosa 'Tricolor'* (verte, blanche et rose foncé), *S. sarmentosa 'Rubra'* (rouge). Famille des saxifragacées comme l'hydrangée. Plante en rosette, à feuilles rondes, rouge bourgogne en dessous, produisant de nombreux stolons* à l'extrémité de fils très minces. Cultivée en paniers suspendus, elle préfère une lumière de moyenne à forte. On ne laissera pas la terre sécher complètement. Elle ne doit pas être suspendue trop haut. La terre doit être acide, riche en compost et en tourbe. Multiplication par stolons. Attention aux cochenilles.

Saxifraga sarmentosa 'Rubra'

Schefflera

Schefflera arboricola

Schefflera arboricola 'Variegata'

Variétés: *S. arboricola* et ses nombreux hybrides, de la famille des araliacées comme le brassaia et les lierres. Arbre semblable au brassaia mais à tiges plus minces et aux folioles* plus réduites. Plante décorative, intéressante pour sa vigueur et ses formes originales. Tolère une lumière réduite, mais vit plus longtemps sous une forte lumière. Peut supporter une sécheresse passagère, quitte à perdre quelques feuilles. L'été, la mettre dehors à l'ombre. Tailler une fois par année pour garder la plante compacte. Multiplication facile par bouturage des tiges ou par marcottage.

SCHEFFLERA

Schefflera arboricola 'Henrietta'

Schefflera arboricola 'Capella'

Schefflera arboricola 'Covette'

Schefflera arboricola 'Golden Capella'

SCINDAPSUS (POTHOS)

Scindapsus aureus

Scindapsus pictus

Variétés: *S. aureus* (vert et jaune) et ses hybrides: *'Marble Queen'* (vert et blanc), *'Tricolor'* et *'Wilcoxii'*; *S. pictus,* à feuilles en cœur, vert satiné, recouvertes de petites taches blanches. Famille des aracées comme les philodendrons. Plantes grimpantes, généralement très résistantes aux conditions extrêmes de lumière. Aussi cultivées comme couvre-sol et en paniers suspendus. Peuvent tolérer une sécheresse passagère. Sujettes à la pourriture si trop arrosées. Terre sablonneuse et riche. Réduire les tiges tous les ans selon la vigueur. Multiplication par bouturage ou par marcottage.

Scindapsus aureus 'Marble Queen'

Sedum (Orpin)

Sedum morganianum

Sedum mexicanum

Sedum lineare 'Variegatum roseum'

Sedum pachyphyllum

Multitude de variétés généralement cultivées en paniers suspendus, dont les plus connues sont: *S. lineare* à petites feuilles panachées, *S. mexicanum* à feuilles étroites, *S. morganianum,* vert pâle presque blanc et *S. pachyphyllum* à feuilles cylindriques. Famille des crassulacées comme le crassula. Chaque feuille de sedum peut donner une nouvelle plante, un peu comme une bouture. Terre sablonneuse et consistante. Lumière de forte à très forte.

SELAGINELLA (Sélaginelle)

Selaginella kraussiana et Selaginella kraussiana 'Aurea'

Variétés: *S. kraussiana, S. kraussiana 'Brownii'* et *S. kraussiana 'Aurea'*, très utilisées en terrarium; *S. martensii* utilisée en terrarium et en paniers suspendus. Famille des sélaginellacées. Ces plantes miniatures sont des mousses très décoratives qui se propagent très rapidement. Lumière de réduite à moyenne-forte. Terre acide, légère. Laisser sécher un peu entre les arrosages, surtout en hiver. Ne pas mouiller le feuillage. Excellente plante pour terrariums et jardins miniatures. Multiplication par bouturage ou par division.

Selaginella kraussiana 'Brownii'

331

SENECIO

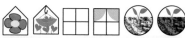

Senecio herreianus

Il existe plusieurs espèces d'apparence très différente, de la famille des composées comme la marguerite et la gynura. Tous les sénécios aiment la lumière de moyenne forte à très forte, et il est préférable de laisser sécher légèrement la terre avant d'arroser, car ils sont sensibles à la pourriture. Multiplication par semis ou par bouturage.

1. *Senecio cruentus* (cinéraire)
   Plante à fleurs annuelle, vendue en pot au printemps. Les fleurs varient du blanc au rouge foncé en passant par le bleu. Craint la grosse chaleur. On la sème à nouveau tous les ans. Il ne s'agit pas vraiment d'une plante d'intérieur.

2. *Senecio herreianus* (collier de perles)
   Plante dont les feuilles ressemblent à des petits pois reliés par un fil mince. Elle produit parfois de minuscules fleurs.

3. *Senecio macroglossus* et ses variétés: *'Aureo-variegatus'* (jaune foncé et vert) et *'Variegatus'* (jaune pâle et vert). Plante grimpante s'enroulant sur n'importe quel support et dont les feuilles ont la forme du lierre. On l'appelle aussi le lierre du cap.

4. *Senecio mikanioides* (lierre allemand)
   Plante retombante à feuillage vert, produisant des grappes de fleurs jaunes au printemps. Surtout utilisée comme plante annuelle, dehors en été.

Senecio

Senecio macroglossus 'Variegatus'

Senecio macroglossus 'Variegatus' (fleurs)

Senecio mikanioides (lierre allemand)

Senecio macroglossus 'Aureo-variegatus'

Setcreasea

Setcreasea pallida

Variétés: *S. pallida* à petites feuilles et tige rampante, *S. purpurea* à longues feuilles et tige dressée, de la famille des commelinacées comme le tradescantia et le rhœo. Plantes à feuilles mauves et duveteuses, produisant parfois des fleurs lilas. Lumière de moyenne à forte; les mettre dehors en été, à l'ombre. Terre légère et moelleuse. Laisser sécher entre les arrosages sauf l'été. La variété *pallida* a tendance à sécher; la tailler de moitié 1 ou 2 fois par année selon la vigueur. Multiplication par bouturage.

334

SOLEIROLA (Helxine, larmes de bébé)

Soleirola soleirolii

Variété: *S. soleirolii,* de la famille des urti-cacées comme le pilea. Plante rampante à petites feuilles vertes. Lumière de moyenne à forte dans des conditions d'humidité élevée. L'helxine pousse très bien par terre dans les serres, directement dans le gravier. Donc mettre la plante dans un petit pot rempli d'une terre plu-tôt pauvre et sablonneuse. On peut alors arroser dès que la terre perd de son humidité. Multiplication par bouturage.

335

Sonerila

Sonerila margaritacea

Variété: *S. margaritacea*, de la famille des mélastomacées. Petite plante herbacée à feuillage vert bariolé de points argentés, portant parfois, en été, des petites fleurs roses. Plante exigeante et délicate, sensible à tout déséquilibre dans son environnement.

SPATHIPHYLLUM

Spathiphyllum 'McCoy'

Variétés: *S. clevelandii, S. 'McCoy', S. flori-bundum, S. phryniifolium* et *S. wallisii*. Famille des aracées comme le dieffenbachia et le philodendron. Plante à feuilles vert foncé, plus ou moins longues et luisantes, poussant en touffes atteignant 1,25 m, et produisant régulièrement des inflorescences blanches, teintées de vert avec l'âge. Plante qui s'adapte et qui fleurit même en lumière faible: les feuilles s'écartent pour mieux capter les rayons lumineux et la plante élargit. En plein soleil, les feuilles jaunissent. Elles pâlissent et s'affaissent quand la plante a soif et elle boit beaucoup. Assez exigeante en eau; on ajuste l'arrosage aux conditions lumineuses. Multiplication par division au printemps.

Spathiphyllum (miniature)

337

STAPELIA

Stapelia nobilis

Variétés: *S. nobilis* et *S. variegata,* de la famille des asclépiadacées comme le hoya. Plante ressemblant au cactus, sans épines, poussant en touffe et produisant de magnifiques fleurs en forme d'étoile, dans les tons de jaune et de beige rayés de rouge, de brun ou de mauve, mais à l'odeur nauséabonde. Lumière forte toute l'année. En été, laisser sécher presque complètement entre les arrosages. En hiver, espacer les arrosages et garder la température autour de 12 à 15 °C pour assurer la floraison au printemps suivant. Multiplication facile par bouturage ou par division.

STENANDRIUM

Stenandrium lindenii

Variété: *S. lindenii,* de la famille des acanthacées comme le fittonia, l'hémigraphis et l'irésine. Plante dont le feuillage revêt des couleurs inhabituelles, portant parfois des fleurs peu spectaculaires. Lumière de moyenne à forte pour assurer une certaine vigueur. En hiver, mettre la plante au ralenti: réduire la température, au moins la nuit, de 15 à 18 °C, arroser avant que la plante ne ramollisse mais une fois la terre presque sèche. Terre sablonneuse, consistante, riche en compost et en tourbe. Après la floraison, tailler en réduisant les tiges du quart ou du tiers. On garde les tiges latérales comme boutures.

Stephanotis

Stephanotis floribunda

Variété: *S. floribunda* (mot qui signifie fleurit beaucoup), de la famille des asclépiadacées comme le hoya et le stapelia. Plante grimpante propice aux fenêtres ensoleillées ou aux serres, produisant des petites fleurs blanches très odorantes, utilisées par les fleuristes dans les bouquets de mariée. Pour l'entretien, voir Stapelia. L'été, la mettre dehors, mais gare aux acariens. Tailler au printemps en enlevant la moitié de la longueur des jeunes tiges. Multiplication par bouturage.

Strelitzia (Oiseau du paradis)

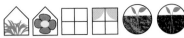

Strelitzia reginæ (jeune plant)

Strelitzia reginæ (fleur)

Variété: *S. reginæ,* de la famille des musacées comme le bananier. Plante assez rare au Québec, surtout cultivée en serre à cause de ses hautes exigences en lumière. Terre riche en compost, toujours humide si la lumière est adéquate. Après plusieurs années et dans de bonnes conditions, donne de très jolies fleurs en forme d'oiseau, familières aux fleuristes. Multiplication par division.

STREPTOCARPUS (Primevère du cap)

Streptocarpus hybride

Variétés: *S. hybridus* à grandes feuilles cassantes et aux fleurs allant du blanc au bleu, *S. saxorum* à petites feuilles et à fleurs bleu pâle, cultivée en paniers suspendus. Famille des gesnériacées comme la violette et l'épiscia. Les hybrides donnent quelques grandes feuilles, et la floraison est facilitée par une très bonne lumière et un léger assèchement de la terre entre les arrosages, surtout en hiver. Rempoter tous les 2 ou 3 ans. Multiplication par semis et par bouturage de portions de feuilles.

Streptocarpus hybride

STREPTOCARPUS (Primevère du cap)

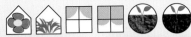

Streptocarpus hybride

Streptocarpus hybride

Streptocarpus hybride

Streptocarpus saxorum

Strobilanthes

Strobilanthes dyerianus

Variété: *S. dyerianus,* de la famille des acanthacées comme l'aphelandra. Plante herbacée* dont le feuillage vert et bleu présente des reflets argentés. Pour l'entretien, voir Iresine. Multiplication par bouturage.

344

SYNGONIUM (Nephtytis)

Syngonium podophyllum

Syngonium podophyllum 'Albo-lineatum'

Variétés: *S. podophyllum* et ses hybrides dont *'Albo-virens'*, *'Tricolor'*, *'Variegatum'*, *'Xanthophyllum'*, etc. Famille des aracées comme le pothos et le philodendron. Plante grimpante à feuilles triangulaires et souvent trilobées, cultivée soit sur un tuteur de bois, soit en jardinière suspendue. Pour l'entretien, voir Philodendron. Les syngoniums et les pothos se contentent d'une faible luminosité si l'on espace suffisamment les arrosages. Multiplication par bouturage ou par marcottage.

Syngonium podophyllum 'Hoffmannii'

345

TOLMIEA

Tolmiea menziesii

Variétés: *T. menziesii* et *T. menziesii 'Variegata'*, de la famille des saxifraga-cées comme la saxifrage et l'hydrangée. Plante herbacée poussant en touffe et produisant de nouvelles plantes à l'inter-section des veines principales de chaque feuille. Ces nouvelles plantes servent à la reproduction commerciale du tolmiea. Lumière de moyenne à forte. Se plaît à des températures aussi basses que 8 à 10 °C. Arroser en fonction de la lumière, mais ne pas laisser la terre s'assécher complètement.

TRADESCANTIA (Glace, misère)

Tradescantia fluminensis

Tradescantia sillamontana

Tradescantia fluminensis 'Variegata'

Tradescantia albiflora 'Albo-vittata'

Variétés: *T. albiflora*, rayée vert et blanc, *T. blossfeldiana* à feuilles plus grandes, vertes ou panachées, *T. fluminensis* à petites feuilles vertes ou vertes et jaunes, *T. silla-montana* à port compact et aux feuilles poilues. Famille des commelinacées comme le rhœo. Lumière de moyenne à forte; arroser quand la terre (légère et consistante) est presque sèche. La croissance est très rapide, il faut tailler les tiges de moitié, 1 ou 2 fois par année selon la vigueur. Le bouturage est très facile.

TROMPETTE D'OR: voir *Alamanda*.

VIOLETTE AFRICAINE: voir *Saint-Paulia*.

VIOLETTE FLAMBOYANTE: voir *Episcia*.

VOILE DE MARIÉE: voir *Gibasis*.

YUCCA

Yucca elephantipes

Yucca elephantipes 'Variegata'

Variétés: *Y. aloifolia, Y. elephantipes* et *Y. elephantipes 'Variegata'*. Famille des liliacées comme le dracéna et l'asparagus. Plantes dont le feuillage pousse en touffe en haut d'une tige ligneuse. Les feuilles longues, rigides et pointues tombent périodiquement, ce qui est normal. Lumière de moyenne à très forte; l'été, les mettre dehors. Terre légère et consistante. Arrosage quand la terre est sèche. Multiplication par bouturage ou par marcottage aérien.

ZEBRINA (Glace, misère)

Zebrina pendula

Zebrina purpusii

Variétés: *Z. pendula,* verte et mauve et *Z. purpusii,* presque rouge. Famille des commelinacées comme le tradescantia. Plante retombante dont la couleur s'accentue avec la lumière. Lumière de moyenne à très forte. Pour l'entretien, voir Tradescantia. Multiplication par bouturage.

Pour réussir

Pour éviter que le dessus de la plante se dégarnisse, la suspendre le plus bas possible devant la fenêtre.

Zingiber (Gingembre)

Zingiber

Variété: *Z. zerumbet,* de la famille des zingibéracées. Plante à feuilles très étroites, au dessus verdâtre et au dessous plutôt brun, légèrement pubescentes. Racines aromatiques. Croissance lente. Surtout appréciée pour l'exotisme de son feuillage. Si les conditions sont excellentes, peut produire une inflorescence composée de bractées imbriquées, rougeâtres, d'où sortent des petites fleurs jaunâtres. Lumière de forte à très forte. Terre riche et légère: compost, tourbe et perlite. Multiplication par division des tubercules.

CINQUIÈME PARTIE

Lexique et tableaux récapitulatifs

Petit lexique

Adventif: se dit d'un organe (racines ou bulbilles), qui se développe dans un endroit inhabituel.

Bonsaï (*poussé dans un plat*): arbre nain obtenu par une méthode orientale de miniaturisation.

Bractée: feuille modifiée située à proximité des fleurs chez certaines familles (acanthacées, broméliacées, euphorbiacées, etc.).

Bulbilles: sorte de petits bulbes qui se développent sur les feuilles ou les tiges de certaines espèces et qui, en tombant par terre, s'enracinent facilement.

Collet: chaîne de cellules qui marque la séparation entre la racine et la tige, ce qui détermine le niveau de plantation.

Croissance: développement en longueur des tiges et des racines.

Développement: accroissement en largeur et en épaisseur des tiges, des troncs, des racines.

Drageon: jeune plante qui se développe à partir de la racine d'une plante mère.

Épiphyte: qualificatif de certains végétaux (orchidées, bromélias) qui se développent sur une autre plante leur servant de support (ne pas confondre avec «parasite» qui caractérise les plantes se nourrissant de leur support).

Foliole: division particulière de certaines feuilles (les feuilles de schefflera comportent de 3 à 9 folioles).

Forcer: cultiver certaines plantes pour qu'elles fleurissent avant la période naturelle de floraison.

Frondes: feuilles des fougères.

Herbacées: plantes dont les tiges riches en eau ne durcissent jamais.

Humus: matière noire abondante dans les forêts et qui résulte de la décomposition à l'air de la matière organique animale ou végétale. Il contient des éléments minéraux directement assimilables par les racines des plantes.

Inflorescence: façon particulière dont les fleurs se regroupent sur la tige florale (grappe sur le lilas, épi sur le glaïeul, capitule sur la marguerite, etc.).

Lobe: division naturelle des feuilles; par exemple, la feuille de fatsia comporte 5 lobes.

Lux: selon le système métrique, unité de mesure de la lumière correspondant à l'unité anglo-saxonne «foot-candle»; 1 fc = 10 lux.

Panachée: expression qui caractérise les feuilles arborant plusieurs couleurs, généralement vert et blanc ou vert et jaune, avec parfois du rose ou du rouge.

Port: forme générale d'une plante; port dressé, couché, rampant, etc.

Réceptacle: partie renflée au bas de la fleur, où logent entre autres l'ovule et les ovaires.

Rustique: caractéristique d'une plante acclimatée aux conditions d'une région donnée.

Spores: semences spécifiques des fougères; elles figurent en amas bruns à la face inférieure des frondes fertiles.

Stolons: tiges aériennes dont l'extrémité produit de nouvelles plantes, par exemple, le chlorophytum.

Trilobées: comprenant 3 lobes.

Veine: canal de circulation de la sève dans les feuilles.

Vigueur: force et rapidité de croissance et de développement chez les plantes.

Vrilles: organes minces et courts permettant aux plantes de s'accrocher à leur support.

Streptocarpus

Tableaux

PLANTES À FLORAISON INTÉRESSANTE

Abutilon
Adenium
Æschynanthus
Alamanda
Aloe
Anthurium
Aphelandra
Beloperone
Bougainvillea
Bromélias
Cactus
Calliandra
Ceropegia
Citrus
Clerodendrum
Clivia
Columnea
Crassula
Crossandra
Cuphea
Dipladenia
Episcia
Euphorbia pulcherrima
Euphorbia splendens
Gardenia
Hibiscus

Hippeastrum
Hoya
Hydrangea
Hypocyrta
Ixora
Jasminum
Kalanchœ
Orchidées
Pachystachys
Saint-Paulia (violette)
Senecio
Spathiphyllum
Stapelia
Stephanotis
Strelitzia
Streptocarpus

PLANTES RETOMBANTES À SUSPENDRE

Abutilon
Æschynanthus
Aporocactus flagelliformis (cactus)
Asparagus
Bougainvillea
Callisia
Ceropegia
Chlorophytum

Plantes retombantes à suspendre (suite)

Cissus
Clerodendrum
Columnea
Cyanotis
Epiphyllum (cactus)
Episcia
Ficus pumila
Ficus radicans
Gibasis
Gynura
Hedera
Hemigraphis
Hoya
Hypocyrta
Lamium
Nephrolepis (fougère)
Parthenocissus
Pellionia
Peperomia glabella
Peperomia scandens
Peperomia viridis
Pilea depressa
Pilea microphylla
Pilea nummularifolia
Pilea repens
Pilea serpillacea
Ruellia
Scindapsus
Sedum
Senecio
Setcreasea
Shlumbergera
Stapelia
Stephanotis
Syngonium
Tolmiea
Tradescantia
Zebrina

Plantes à feuillage décoratif

Adiantum (fougère)
Ananas (bromélia)
Aphelandra
Asplenium (fougère)
Beaucarnea
Caryota (palmier)
Chamærops (palmier)
Codiæum
Columnea
Crassula
Cycas (palmier)
Cyperus
Fatsia
Howea forsteriana (palmier)
Pachypodium
Philodendron selloum
Phœnix (palmier)
Pittosporum
Platycerium (fougère)
Pleomele
Polyscia
Rhapis (palmier)
Schefflera arboricola
Senecio herreianus
Zamia (palmier)

Plantes hautes

Cereus (cactus)
Cordyline
Dieffenbachia
Dracæna massangeana et
D. marginata
Euphorbia
Ficus benjamina et F. decora
Monstera deliciosa (sur tuteur)
Palmiers
Polyscia
Sansevieria

PLANTES EN BUISSON

Acalypha
Beaucarnea
Brassaia actinophylla et *S. arboricola*
Chamædorea elegans 'Bella' (palmier)
Codiæum
Dracæna massangeana
Dracæna warneckei et *D. deremensis
'Janet-Craig'*
Fatsia
Ficus decora et *F. benjamina*
Fougères
Hibiscus
Nerium
Philodendron selloum
Pittosporum
Pleomele honoraï
Polyscia (taillée)
Spathiphyllum

PLANTES COUVRE-SOL

Æschynanthus
Cactus
Chlorophytum
Episcia
Fittonia
Maranta
Pellea
Philodendron cordatum
Pilea
Saint-Paulia (violette)
Saxifraga
Scindapsus
Selaginella
Soleirola

PLANTES EN TOUFFE

1. Suspendues, taillées ou non:
   Cissus
   Chlorophytum
   Hoya
   Pothos
2. Autres:
   Adiantum (fougère)
   Aglaonema
   Anthurium
   Begonia rex
   Bromélias
   Cactus
   Citrus (taillé)
   Coffea
   Crassula
   Fatsia
   Gardenia
   Peperomia
   Polyscia (taillée)
   Tolmiea

PLANTES QUI TOLÈRENT MAL OU PAS DU TOUT LA LUMIÈRE FORTE CONTINUE

Fougères
Peperomia
Philodendron (et membres de la famille)
Pilea

PLANTES QUI PRÉFÈRENT LA LUMIÈRE FORTE ET PLUS OU MOINS TAMISÉE

Agava
Ananas
Beaucarnea

Cactus
Citrus mitis
Codiæum
Coleus
Crassula (et membres de la famille)
Euphorbia (et membres de la famille)
Fatshedera
Ficus
Hedera helix
Hoya
Nerium oleander
Palmiers
Pittosporum
Rhœo
Sansevieria
Schefflera
Toutes les plantes colorées
Toutes les plantes qui fleurissent
Yucca

PLANTES SUJETTES AUX EXCÈS D'ARROSAGE QUAND LA LUMIÈRE EST INSUFFISANTE

Begonia
Cactus
Crassula
Euphorbia
Ficus
Fougères
Maranta
Peperomia
Philodendron
Pilea
Polyscia
Scindapsus
Senecio

PLANTES ADAPTÉES À UNE FAIBLE LUMINOSITÉ PERMANENTE (avec arrosage minimum)

Aglaonema
Bromélias
Chamædora elegans 'Bella' (palmier)
Chamædora erumpens (palmier)
Cissus ellendanica
Cissus rhombifolia
Dracæna fragrans 'Massangeana'
Dracæna 'Janet Craig'
Dracæna warneckei
Fougères
Hoya carnosa
Pandanus
Polyscia fruticosa
Sansevieria
Scindapsus aureus
Spathiphyllum

PLANTES POUR LESQUELLES LA LUMIÈRE FAIBLE, PERMANENTE OU TEMPORAIRE, EST FATALE

Araucaria
Aucuba
Buxus
Cactus
Coleus
Crassula (et membres de la famille)
Dieffenbachia
Euonymus
Euphorbia (et membres de la famille)
Gynura
Hemigraphis
Nerium oleander
Palmiers
Peperomia
Pilea
Plectranthus

Podocarpus
Saxifraga
Senecio
Toutes les plantes qui fleurissent sauf
  Spathiphyllum

PLANTES QUI CRAIGNENT LA CHALEUR

Araucaria
Asparagus
Cactus
Coleus
Dizygotheca
Fougères
Hedera
Spathiphyllum
Tradescantia
Toutes les plantes en hiver

PLANTES REQUÉRANT UNE TERRE ACIDE (pH entre 4,5 et 5,5)

Æschynanthus
Aglaonema
Araucaria
Begonia
Bromélias
Cactus
Calathea
Clerodendrum
Columnea
Crossandra
Ctenanthe
Cyperus
Dipladenia
Episcia
Fittonia
Fougères

Gardenia
Hypocyrta
Maranta
Orchidées
Peperomia
Saint-Paulia (violette)
Saxifraga
Selaginella
Streptocarpus
Syngonium

PLANTES REQUÉRANT UNE TERRE ALCALINE (pH supérieur à 7)

Agava
Stapelia

PLANTES À NE PAS VAPORISER

Begonia
Calathea
Ceropegia
Columnea
Ctenanthe
Cyanotis
Dionea
Episcia
Fittonia
Fougères frisées
Gynura
Kalanchœ (à feuilles poilues)
Orchidées
Ruellia
Saint-Paulia (violette)
Selaginella
Soleirola
Streptocarpus (fleurs)
Toutes les plantes situées en lumière faible

PLANTES RECHERCHÉES PAR LES ACARIENS

Brassaia
Chamædora erumpens (palmier)
Chrysalidocarpus lutescens (palmier)
Codiæum
Fatshedera
Gardenia jasminoides
Hedera helix
Pittosporum tobira
Polyscia balfouriana
Polyscia paniculata

PLANTES RECHERCHÉES PAR LES COCHENILLES

Ficus benjamina
Ficus diversifolia
Ficus retusa 'Nitida'
Hibiscus rosa-sinensis
Hoya carnosa
Nerium oleander
Pittosporum tobira
Stephanotis

PLANTES À SÈVE TOXIQUE

Qui dit toxique ne dit pas forcément poison, ni mortel. Une sève toxique peut provoquer des réactions dans la bouche d'un enfant qui la mâche ou perturber son estomac et, éventuellement, tout son système. Il vaut mieux tenir les plantes suivantes loin de la main exploratrice des jeunes enfants.

Adenium
Aglaonema
Caladium
Codiæum
Dieffenbachia
Euphorbia
Philodendron
Scindapsus

Index

Afin de vous faciliter la tâche, les noms latins ont été francisés pour une meilleure compréhension.

Table des matières